Teaterord

LEIKHÚSORÐ
TEATTERISANOJA
THEATERWÖRTER
THEATRE WORDS
TERMES DE THÉÂTRE

Printed by Stellan Stål tryck, Stockholm 1977
ISBN 91 85366 01 3

Redaktion

Niklas Brunius

Ingrid Luterkort

Tyr Martin

Bengt Segerstedt

Ulla Karin Skoghag

Medarbetare

Hass Christensen, Ulla Elmquist, Holger Perfort

Edwin Aarvik, Harald Brockman

Claes Camnert, Uno Eskång, Jan Håkansson, Bernt Thorell, Örjan Wiklund

Sigmundur Arngrímsson, Stefán Baldursson, Sveinn Einarsson,
    Áslaug Skúladóttir

Birger Grönholm, Anneli Kallio, Pekka Lauttamäki, Heikki Mäkelä,
    Ritva Siikala, Lars G Thelestam, Finlands ambassad (Stockholm)

Rudolf Penka, Anne Storm

Ray Bradfield, Mary Evans, Adele Änggård, Claude Stephenson

Alain Barsacq, Guy de Faramond

Ekonomiska bidrag

Nordisk Kulturfond

Kulturfonden för Sverige och Finland

Svensk-Danska Kulturfonden

Unesco

Ordbokens syfte

Denna ordbok har utarbetats på initiativ av Nordiska teaterunionen. Det har skett med utgångspunkt från att ett livligt samarbete pågår mellan olika institutionsteatrar och fria grupper i Norden och i förhoppningen om att detta samarbete skall ytterligare utvidgas. Kontakterna mellan teaterarbetarna kan stimuleras på många sätt. En viktig förutsättning för förbättrade kontakter är att översättningen av rent praktiska arbetsrutiner underlättas. Det är syftet med denna ordbok.

Ordboken, som härmed föreligger i en andra reviderad version, omfattar danska, finska, isländska, norska och svenska ord, men dessutom har den kompletterats med engelska, franska och tyska översättningar för att göra den användbar vid gästspel utanför Norden och vid läsning av utländsk teaterlitteratur.

Ordboken innehåller tekniska, konstnärliga och administrativa ord och uttryck, varav ett flertal åskådliggörs med teckningar.

Ordboken består av tre delar

I ordbokens första del, huvudregistert, är de olika språkens motsvarande ord ordnade parallellt i åtta kolumner. Den första kolumnen innehåller de danska orden i alfabetisk ordning jämte referensnummer i löpande följd, vilka upprepas på uppslagens högersidor. Asteriskerna vid numren betyder att motsvarande ord återfinns i bokens andra avsnitt, bilddelen. Bilderna i denna del är ordnade i tio grupper efter användningsområde. Bilddelen inleds med ett index som visar på vilken sida vederbörlig bild återfinns. I den tredje delen, det alfabetiska registret, återkommer de olika språken med respektive språks ord i alfabetisk ordning — utom de danska orden, som ju finns ordnade alfabetiskt i huvudregistrets första kolumn. Vid varje ord i de alfabetiska förteckningarna finns referensnummer som hänvisar

4

till huvudregistret, där man sålunda kan finna ordets motsvarighet i de andra språken.

Så här använder du ordboken

Är du dansk går du direkt till huvudregistrets första kolumn och kan i de följande sju kolumnerna avläsa vad motsvarande ord heter på de övriga språken.

Om du inte är dansk går du först till ditt eget språks alfabetiska register, och med ledning av referensnumren som du finner vid orden kan du slå upp i huvudregistret vad motsvarande ord heter på de andra språken.

Om du vill veta vad en illustration i bilddelen föreställer eller heter på ditt språk, går du med ledning av illustrationens referensnummer till ditt eget språks kolumn i huvudregistret. Om du omvänt vill veta på vilken sida i bilddelen de ord finns som utmärkts med asterisk i huvudregistret och i de alfabetiska registren söker du i indexet.

Markmið orðabókarinnar

Samning þessarar orðabókar er gerð að frumkvæði Norræna leiklistarsambandsins. Grundvöllur fyrir útgáfunni er, að fjörlegt samstarf ríkir milli fastra leikhúsa og leikhúshópa á Norðurlöndum og í von um að þetta samstarf eigi eftir að aukast enn meir. Samskipti milli leikhússtarfsmanna er hægt að hvetja á margvíslegan hátt. Þýðingarmikið skilyrði fyrir bættum samskiptum er að hægt sé að auðvelda þýðingu á orðum og orðatiltækjum í daglegu starfi. Það er markmið þessarar orðabókar.

Í orðabókinni, sem nú kemur út í annarri, aukinni og endurbættri útgáfu, er að finna dönsk, finnsk, íslenzk, norsk og sænsk orð, að viðbættum enskum, frönskum og þýzkum þýðingum, svo hægt sé að nota hana í sambandi við gestaleiki utan Norðurlandanna og við lestur erlendra leiklistarbókmennta.

Orðabókin hefur að geyma orð og orðatiltæki, tæknilegs, listræns og framkvæmdalegs eðlis, og fylgja myndskýringar mörgum þeirra.

Orðabókinni er skipt í þrjá kafla

Í fyrsta kafla orðabókarinnar, aðalskránni, er orðum og orðatiltækjum hinna mismunandi tungumála raðað hliðstætt í átta dálka. Í fyrsta dálkinum er dönsku orðunum raðað í stafrófsröð, ásamt skýringarnúmerum í réttri röð, sem síðan eru endurtekin hægra megin á blaðsíðunni. Séu númerin merkt með stjörnu, þýðir það að viðkomandi orð sé að finna í myndskýringarkafla bókarinnar. Teikningunum í þeim hluta er skipt í tíu flokka allt eftir því sem við á í sambandi við notkunina. Myndskýringarkaflinn byrjar á myndaskrá þar sem vísað er til þeirrar blaðsíðu sem myndina er að finna. Í þriðja kaflanum, stafrófsskránni, er að finna orðin á hinum mismunandi tungumálum, í stafrófsröð hvers og eins — nema dönsku orðin, sem er að finna í stafrófsröð í fyrsta dálki aðalskrárinnar.

Við hvert orð er tilvitnunarnúmer í aðalskrána, og er þannig hægt að finna hvað orðin þýða á hinum tungumálunum.

Svona áttu að nota orðabókina

Sértu danskur, flettir þú upp fyrsta dálki í aðalskránni og getur síðan í hinum sjö dálkunum séð hvað samsvarandi orð er á hinum málunum.
Sértu ekki danskur, flettir þú fyrst upp á orðunum, sem skráð eru í stafrófsröð á þínu eigin máli, og með hliðsjón af tilvitnunarnúmerunum við orðin, getur þú flett upp í aðalskránni, til að finna hvað samsvarandi orð er á hinum málunum.

Viljirðu vita hvað teikning í myndskreytingarkaflanum er eða þýðir á þínu eigin máli, ferðu eftir tilvitnunarnúmerinu við teikninguna og flettir síðan upp á dálkinum þar sem þitt eigið mál er að finna í stafrófsröð í aðalskránni. Viljirðu hinsvegar vita á hvaða blaðsíðu í myndskýringarkaflanum er að finna þau orð, sem merkt eru með stjörnu í aðalskránni og í stafrófsskránum, flettir þú upp í myndaskránni.

Johdanto

Tämä sanakirja on tehty Pohjoismaisen teatteriunionin aloitteesta. Teoksen lähtö kohtana on ollut pohjoismaisten laitos- ja ryhmäteattereiden välinen vilkas yhteistyö ja toivomus tämän yhteistyön laajenemisesta. Teatterityöntekijöiden välisiä yhteyksiä voidaan edistää monin tavoin. Eräs tärkeä edellytys niiden parantamiselle on se, että puhtaasti käytännön työsanaston kääntäminen helpottuu. Se on tämän sanakirjan tarkoitus.

Sanakirja, josta nyt on tehty toinen tarkistettu painos, käsittää tanskalaisia, suomalaisia, islantilaisia, norjalaisia ja ruotsalaisia sanoja, mutta lisäksi sitä on täydennetty saksalaisilla, englantilaisilla ja ranskalaisilla käännöksillä, jotta sitä voitaisiin käyttää Pohjoismaiden ulkopuolelle tehtävien vierailujen yhteydessä sekä luettaessa ulkomaista teatterikirjallisuutta.

Sanakirja sisältää teknisiä, taiteellisia ja hallinnollisia sanoja ja ilmauksia, joista useita havainnollistetaan piirroksin.

Sanakirja koostuu kolmesta osasta

Sanakirjan ensimmäisessä osassa, päähakemistossa, on kunkin kielen vastaavat sanat järjestetty rinnakkain kuuteen sarakkeeseen. Ensimmäinen sarake sisältää tanskankieliset sanat aakkosjärjestyksessä sekä sanojen viitenumerot, jotka toistuvat aukeaman oikealla sivulla. Asteriskit numeroiden yhteydessä tarkoittavat sitä, että vastaava sana sisältyy kirjan kuvaosaan. Tämän toisen osan kuvat on järjestetty käyttöalan mukaan kymmeneen ryhmään. Kuvaosan alussa on rekisteri, josta käy ilmi mistäasianomainen kuva löytyy. Kolmannessa osassa, aakkosellisessa hakemistossa, on kunkin kielen sanat lueteltu aakkosjärjestyksessä — lukuunottamatta tanskankielen sanoja, jotka jo ovat aakkosjärjestyksessä päähakemiston ensimmäisessä sarakkeessa. Jokaisen sanan kohdalla on näissä aakkosellisissa luetteloissa viitenumero, joka viittaa päärekisteriin, josta numeron avulla voi löytää kunkin sanan vastineet toisissa kielissä.

Jos olet tanskalainen, menet suoraan päärekisterin ensimmäiseen sarakkeeseen ja viereisiltä sarakkeilta voit lukea mitä vastaava sana on muilla kielillä.

Jos et ole tanskalainen, haet sanan ensin oman kielesi aakkosellisesta luettelosta ja sanan vieressä olevan viitenumeron avulla löydät vastaavat muunkieliset sanat päähekemistosta.

Jos haluat tietää, mitä jokin kuvaosan kuva esittää tai mitä se on kielelläsi haet kuvan viitenumeron avulla vastaavan sanan päähakemistosta, jossa kuva on selitetty kaikilla kuudella kielellä. Mikäli toisaalta haluat tietää, millä sivulla kuvaosassa ne sanat löytyvät, jotka on merkitty tähdellä päähakemistossa ja aakkosellisessa hakemistosso, käytät hakemistoa.

Absicht des Wörterbuches

Dieses Wörterbuch ist auf Initiative der Nordischen Theaterunion ausgearbeitet worden. Ausgangspunkt war die lebhafte Zusammenarbeit zwischen verschiedenen Institutionstheatern und freien Gruppen der skandinavischen Länder, verbunden mit der Hoffnung, daß sich diese Zusammenarbeit weiter ausdehnt. Die Kontakte zwischen den Theaterschaffenden können auf vielfältige Weise stimuliert werden. Eine wichtige Voraussetzung für bessere Kontakte ist, daß die Übersetzung rein praktischer Arbeitsvorgänge erleichtert wird. Das ist die Absicht dieses Wörterbuches.

Das Wörterbuch, das hiermit in einer zweiten, überarbeiteten Version vorliegt, umfaßt dänische, finnische, isländische, norwegische und schwedische Wörter und ist außerdem mit deutschen, englischen und französischen Übersetzungen komplettiert worden, damit es bei Gastspielen außerhalb des Nordens und bei der Lektüre fremdsprachiger Theaterliteratur angewendet werden kann.
Das Wörterbuch enthält technische, künstlerische und administrative Begriffe und Ausdrücke, von denen eine große Anzahl durch Zeichnungen veranschaulicht werden.

Das Wörterbuch besteht aus drei Teilen

Im ersten Teil, dem Hauptregister, sind die entsprechenden Wörter der verschiedenen Sprachen parallel in acht Spalten angeordnet. Die erste Spalte enthält die dänischen Wörter in alphabetischer Reihenfolge sowie die laufende Referenznummer, die auf der rechten Seite wiederholt wird. Sterne neben der Nummer bedeuten, daß das entsprechende Wort im Bildteil des Buches erscheint. Die Bilder in diesem Teil sind in zehn Gruppen nach Anwendungsgebieten geordnet. Der Bildteil wird mit einem Index eingeleitet, aus dem hervorgeht, auf welcher Seite sich das entsprechende Bild befindet. Im dritten Teil, dem alphabetischen Register, erscheinen die verschiedenen Sprachen mit den jeweiligen Wörtern in alphabetischer Reihenfolge — außer den dänischen Wörtern, die sich bereits alphabetisch geordnet in der ersten Spalte des Hauptregisters befinden. Jedes Wort in den alphabetischen Verzeichnissen ist mit einer Referenznummer versehen, die auf das Hauptregister hinweist, wo man somit die Entsprechung in den anderen Sprachen finden kann.

Benutzungshinweise

Der dänische Leser geht direkt von der ersten Spalte des Hauptregisters aus und kann aus den weiteren sieben Spalten die entsprechenden Wörter in den übrigen Sprachen ablesen.

Andere Benutzer schlagen zuerst im alphabetischen Register der gewünschten Sprache nach und werden durch die Referenznummer neben den Wörtern auf die entsprechenden Wörter in den anderen Sprachen im Hauptregister hingewiesen.

Will man wissen, was eine Illustration im Bildteil darstellt oder wie die Bezeichnung in der gewünschten Sprache heißt, findet man mit Hilfe der Referenznummer der Illustration die Bezeichnung in der Spalte der gewünschten Sprache im Hauptregister. Will man wissen, auf welcher Seite im Bildteil die Wörter zu finden sind, die im Hauptregister und in den alphabetischen Registern mit einem Stern versehen sind, schlägt man im Index nach.

The aim of this dictionary

This dictionary has been prepared on the initiative of the Scandinavian Theater Union. The point of departure was that close cooperation is going on among various institutional theaters and free groups in Scandinavia and that there are hopes of further extending that cooperation. Contacts among theaters can be stimulated in many ways. An important prerequisite is that the translation of purely practical working routines be facilitated. That is the aim of this dictionary.

This dictionary, now issued in a second revised version, includes Danish, Finnish, Icelandic, Norwegian and Swedish words, and German, English and French translations have been added to make it useful when making guest appearances outside of Scandinavia and in reading foreign theatrical literature.

The dictionary is compiled of theatrical technical, artistic and administrative terminology. For clarity, sketches have been added.

The dictionary in three sections

In the first section, the main register, the words are listed in eight columns, one for each language, giving the corresponding translations. Column one gives the Danish words in alphabetical order with a number. The number is repeated on the far right for easy reference. An asterisk by the reference number denotes that the word can be found in the second illustrated section. The illustrations are divided into ten subsections according to subject. The illustrations section begins with an index showing the pages on which the pictures appear. In the third part, the alphabetical register, the words of each language are given in alphabetic order, with the reference number from section one. Danish words listed in the main register are not repeated here. The same reference number is used throughout the book to aid easy cross-reference.

For Danish turn to the main register in section one, where the seven subsequent columns give the corresponding of each word.

Other nationalities look under the alphabetic register for each language in section three. Using the reference number find the corresponding word in the main register of section one, which gives all the translations.

To aid the identification of illustrations the same reference number as in section one is given beside each illustration, and can be identified by referring back to the main register. On the other hand, if you want to know what page in the pictorial section the words marked with an asterisk in the main index and in the alphabetical index are on, look in the index.

Le but du lexique

Ce lexique a été élaboré à l'initiative de l'Union nordique du théâtre. C'est la coopération très active entre les théâtres et les groupes libres des pays nordiques qui a permis la réalisation de ce travail, dont nous espérons qu'il contribuera à élargir et à renforcer cette coopération. Les contacts entre tous ceux qui travaillent avec le théâtre peuvent être stimulés de plusieurs façons. L'une d'elles consiste à faciliter la traduction de termes pratiques employés quotidiennement dans la profession. C'est l'ambition de cet ouvrage.

Le lexique, dontc'est ici la deuxième édition revue et corrigée, comprend des mots danois, finlandais, islandais, norvégiens et suédois, mais il a été complété par des traductions allemandes, anglaises et françaises, afin de pouvoir servir dans les tournées en dehors des pays nordiques et la lecture d'ouvrages et de documents sur le théâtre.

Le lexique comprend des mots et expressions techniques, artistiques et administratifs, dont un grand nombre sont illustrés par des dessins.

Le lexique est composé de trois parties

Dans la première partie, le registre principal, les mots des différentes langues sont portés sur huit colonnes. La première colonne comporte les mots danois par ordre alphabétique avec les numéros de référence qui sont répétés sur les pages de droite. Les astérisques placés à côté des numéros renvoient aux illustrations dans la deuxième partie. Les illustrations sont classées en dix groupes selon le domaine d'utilisation. La partie consacrée aux illustrations commence par un index indiquant à quelle page se trouve l'illustration que l'on cherche. Dans la troisième partie, le registre alphabétique, on trouve les différentes langues avec leurs mots respectifs par ordre alphabétique — sauf les mots danois qui sont dans la première colonne du registre principal. A côté de chaque mot classé par ordre alphabétique est placé le numéro de référence qui renvoie au registre principal, où l'on peut donc trouver le mot correspondant dans les autres langues.

Mode d'utilisation

Si vous êtes Danois, vous regardez directement la première colonne de gauche du registre principal et vous lisez les mots correspondants des autres langues dans les sept autres colonnes.

Sinon, vous regardez d'abord le registre alphabétique de votre langue et à l'aide du numéro de référence, vous lisez dans le registre principal les correspondances du mot recherché dans les autres langues.

Si vous voulez savoir ce que représente une illustration dans votre langue, vous relevez le numéro de référence à côté de l'illustration et vous vous reportez au registre principal. Inversement si vous voulez savoir à quelle page de la partie consacrée aux illustrations se trouvent les mots marqués d'un astérisque dans le registre principal et dans les registres alphabétiques, vous cherchez dans l'index.

	Dansk	Norsk	Svenska	Islenzka
1	abonnement	abonnement	abonnemang	áskrift
2	abonnementschef	abonnementsjef	abonnemangschef	áskriftarstjóri
3	accentuere	aksentuere	accentuera	áherzlu, leggja á
4	adgang forbudt	adgang forbudt	förbjuden ingång	aðgangur bannaður
5	adgang forbudt	adgang forbudt	ingen utgång	útgangur bannaður
6	adgang forbudt	adgang forbudt	genomgång förbjuden	umgangur bannaður
7	administrativt personale	administrativt personale	administrativ personal	starfsfólk sem annast reksturinn, skrifstofufólk
8	administrator	administrativ sjef	administrativ chef	framkvæmdastjóri
9	afbalancere	avbalansere	motlasta, lasta	setja mótvikt
10	afbryder	inngangsrelé	brytare	rofi
11*	afdækning	inndekning	intäckning	dekking
12	afgang	sorti	sorti	útganga
13	afmagnetisere	avmagnetisere	avmagnetisera	afsegulmagna
14*	afmaskning	avmaskning	avmaskning	skerming
15	afprøvningskontrol	forlytting, inngangskontroll	förlyssning	forhlustun
16	afskærmning	avmaskning	avskärmning	skerming
17	afspille	spille opp	spela (upp, av)	flytja
18	afspilningshoved	avspillingshode	avspelningshuvud	flutningshöfuð á segulbandi
19	aftale	avtale	avtal	samningur, samkomulag

16

	Suomeksi	Deutsch	English	Français
1	tilaus	Anrecht	season ticket	abonnement
2	myyntipäällikkö	Leiter der An-rechtsabteilung	box office manager	responsable d'abonnement, responsable des collectivités
3	painottaa	akzentuieren	accentuate	accentuer
4	sisäänpääsy kielletty	kein Zutritt	no admittance	entrée interdite
5	ulosmeno kielletty	kein Ausgang	no exit	interdit au public
6	läpikulku kielletty	Durchgang verboten	no through passage	passage interdit
7	hallinnollinen henkilökunta	Verwaltungs-personal	administrative personnel	personnel administratif
8	hallinnollinen johtaja	Verwaltungs-direktor	theatre manager	directeur administratif
9	vastapainottaa	ausbalancieren	counterweigh	contre-balancer
10	kytkin, katkaisin	Hauptschalter	master switch, master blackout switch	interrupteur
11*	kate	Abdeckung	set of drapes, surround, back-runners and legs	jeu de draperies pour cacher les coulisses
12	ulosmeno	Abgang	exit	sortie
13	poistaa magneetti-suus jostakin	entmagnetisieren	demagnetize	désaimanter
14*	rajaaminen	abnehmen	masking	réduction par diaphragme
15	etukäteiskuuntelu	Tonprobe	listening prior to recording	essai de voix
16	rajaaminen	Abschirmung	masking, screen-off	effet de masque
17	soittaa	Wiedergabe	playback	lecture d'une bande
18	äänipää	Tonkopf	playback head	tête de lecture
19	työehtosopimus	Vertrag	contract, agreement	contrat

	Dansk	Norsk	Svenska	Islenzka
20	aften	kveld	kväll	kvöld
21	akustik	akustikk	akustik	hljómburður
22	akt	akt	akt	þáttur
23	annonce	annonse	annons	auglýsing
24	ansvarlig for	svare for	svara för, åligga	bera ábyrgð á, sjá um, bera að gera eitthvað
25	apparat	apparat	apparat	tæki
26	applaus	applaus	applåd	klapp, lófatak
27	applausorden	applaus-arrangement	applådtacks-ordning	framkall
28	arbejdslys	arbeidslys	arbetsljus	vinnuljós
29	arbejdstæppe	arbeidsteppe	arbetsridå	hljóðeinangrað fortjald
30*	arenascene	arenascene	arenascen	svið sem setið er kringum
31	arkivindspilning	arkivinnspilling	arkivinspelning	upptaka sem geymd er í safni
32	arrangement	arrangement	regianvisning, sceneri	sviðshreyfingar, leikstjórnarleið-beiningar
33	arrangement (musik)	arrangement (musikk)	arrangemang (musik)	útsetning tónlistar
34	arrangere	arrangere	lägga sceneri, regissera	ákveða sviðshreyf-ingar
35	arrangere (musik)	arrangere (musikk)	arrangera (musik)	útsetja tónlist
36	assisterende scenemester	sceneformann	scenförman	verkstjóri á sviði
37	baglys	motlys	bakljus	bakljós
38*	bagmaske	bakmaske	bakmask	bakfleki
39	bagprojektion	backprojeksjon	backprojektion	myndvarp aftanfrá
40*	bagscene	bakscene	bakscen	baksvið

	Suomeksi	Deutsch	English	Français
20	ilta	Abend	evening	soir
21	akustiikka	Akustik	acoustic	acoustique
22	näytös	Akt	act	acte
23	ilmoitus	Annonce	advertisement	annonce
24	vastata jostakin	verantworten	be responsible for	être responsable de
25	koje	Apparat	apparatus	appareil
26	suosionosoitukset	Beifall	applause	applaudissement
27	kiitokset	Beifallsordnung	curtain call	ordre des saluts
28	työvalo	Arbeitslicht	working light	éclairage de service
29	väliverho	Arbeitsvorhang	front drop	rideau d'avant-scène
30*	areenanäyttämö	Arenabühne	theatre in the round, arena stage	théâtre en rond
31	arkistonauhoitus	Archivaufnahme	archive recording	enregistrement pour les archives
32	asemat, ohjausohje	Regieanweisung	director's instructions, plotting, blocking	directive du metteur en scène
33	sovitus	Musikarrangement	setting (musical), arrangement, score	arrangement (musique)
34	tehdä asemia	Bühnen-arrangement	plot, block in	mettre en place
35	sovittaa	arrangieren	set to music, arrange	arranger (musique)
36	näyttämöpäällikkö	Bühnenmeister	assistant stage manager, A.S.M.	régisseur de scène
37	takavalo	Hintergrundslicht	backlighting	éclairage à contre-jour
38*	takakate	Hintersetzer	back masking	découverte
39	taustaprojisointi	Hintergrunds-projektion	back-projection	rétroprojection
40*	takanäyttämö	Hinterbühne	backstage	arrière-scène

Dansk	Norsk	Svenska	Islenzka
41* bagtæppe	bakteppe	fond	baktjald, bak-veggur
42 bagved	bakom	bakom	bak við, fyrir aftan
43 bagved scenen	bak scenen	utanför scenen	að tjaldabaki, baksviðs
44* bajonetfatning	bajonettfatning	bajonettfattning	stunginn peruhaus
45* balkon	balkon	balkong	svalir
1. etage	1. balkon	första raden	neðri (neðstu) svalir
2. etage	2. balkon	andra raden	aðrar svalir
3. etage	3. balkon	tredje raden	þriðju svalir
galleri (øverste etage)	4. balkon	fjärde raden	fjórðu svalir
46 balletdanser	ballettdanser	balettdansör	listdansari
47 balletdanserinde	ballettdanserinne	balettdansös	listdansari, dansmær
48* balustrade	rekkverk	räcke	grindverk
49* bardunstrammer	strekkfisk	wiresträckare	vírstrekkjari
50 basdæmpning	bassdempning	basdämpning	bassadeyfir
51 baskontrol	basskontroll	baskontroll	bassastillir
52 bearbejde	bearbeide	bearbeta	umsemja
53 begynde	begynne	börja	byrja
54* belaste (med kontravægte)	motvektsbelaste	motviktsbelasta	setja mótvikt, lóða
55 belastning	belastning	belastning	álag, lóð
56 belysning	belysning	belysning	lýsing
57 belysninger	lysmoment	ljusmoment	ljósabreyting
58* belysningsbro	lysbro	belysningsbrygga	ljósabrú

Suomeksi	Deutsch	English	Français
41* tausta	Prospekt	backdrop, back cloth (painted), back drapes or runners (curtain)	fond
42 takana	hinten	behind	derrière
43 näyttämön takana, ulkopuolella	Hinterbühne	backstage	hors de la scène
44* bajonettikanta	Bajonettfassung	bayonet-cap, B.C.	culot baïonette
45* parveke	Balkon	balcony	balcon
ensi parvi	1. Rang	dress circle	premier balcon, mezzanine
toinen parvi	2. Rang	upper circle	deuxième balcon
kolmas parvi	3. Rang	balcony	troisième balcon,
neljäs parvi	Galerie	gallery	paradis, poulailler
46 balettitanssija	Ballettänzer	ballet dancer, male dancer	danseur de ballet
47 balettitanssija	Ballettänzerin	ballet dancer, ballerina	danseuse de ballet
48* kaide	Geländer	railing	balustrade
49* vaijerinkiristin	Spannschloss	tension rod	tendeur à lanterne
50 basson hiljentäminen	Bassdämpfer	tone down the bass, damping	shunter les basses
51 basson tarkkailu	Kontrolle des Basses	bass control	contrôle des basses
52 sovittaa	bearbeiten	adapt	élaborer
53 aloittaa	anfangen	start, begin	allez-y (commencez)
54* vastapainottaa	Gegengewicht	counterweigh	contrepoids
55 kuormitus	Belastung	load, charge	charge
56 valaistus	Beleuchtung	lighting	éclairage
57 valomomentti	Lichtmoment	lighting cue	changement d'éclairage
58* valaistussilta	Beleuchtungsbrücke	lighting bridge, cat-walk	passerelle d'éclairage

21

Dansk	Norsk	Svenska	Islenzka
59 belysningsformand	belysningsformann	belysningsförman	ljósaverkstjóri
60 belysningsmester	lysmester	belysningsmästare	ljósameistari
61 belysningsnummer	lysmoment	belysningsnummer, ljusmoment	ljósabreytingar-númer
62 belysningsnummer varsel	momentvarsel	momentvarning	viðvörun um breytingu atriðis
63* belysningsplan	lysskjema	belysningsschema, ljusplan	ljósayfirlit
64 belysningsprøve	lysprøve	belysnings-repetition	ljósaæfing
65 belysningsregulator	lysregulator	belysnings-regulator	ljósastillir
66* belysningstræk	lystrekk	belysningsrå	ljósará
67 belysningstekniker	lystekniker	belysningstekniker	ljósamaður
68 belysnings-udrustning	lysutstyr	belysnings-utrustning	ljósaútbúnaður
69 belysningsudstyr	lysutstyr	belysnings-utrustning	ljósaútbúnaður
70 besætte (rolle-)	besette (rolle-)	besätta (roll-)	skipa í hlutverk
71 betale	betale	betala	borga, greiða
72 betjeningsbord	manøverbord	manöverbord, kontrollbord	stjórnborð
73 bifald	applaus	applåd, bifall	klapp, lófatak
74 billede	scene	bild, scen (avsnitt i pjäs)	mynd, atriði
75 billedskift	billedskift	bildväxling	myndaskipti
76 billet	billett	biljett	aðgöngumiði, miði

	Suomeksi	Deutsch	English	Français
59	(pää-)valaistus-mestari	Beleuchtungs-brigadier	head electrician, lighting board operator	régisseur d'éclairage
60	valaistusmestari	Beleuchtungs-meister	lighting designer, lighting director	maître d'éclairage
61	valotilanne	Lichtmoments-markierung	lighting cue number	numéro pour changement d'éclairage
62	tilanteenosoitin	Warnsignal	warning cue, stand-by cue	signal d'attention
63*	valaistuskaavio	Beleuchtungsplan	lighting plan, lighting plot	conduite d'éclairage
64	valoharjoitus	Beleuchtungsprobe	lighting rehearsal	répétition pour l'éclairage
65	valonsäädin, himmennin	Lichtregulator	dimmer	jeu d'orgue
66*	valaistustanko	Beleuchtungs-zugstange	lighting bar, lighting batten	porteuse d'éclairage
67	valomies	Beleuchter	electrician	électricien
68	valaistuskaavio	Beleuchtungs-ausrüstung	lighting equipment	équipement d'éclairage
69	valaistuskaavio	Beleuchtungs-ausrüstung	lighting equipment	équipement d'éclairage
70	miehittää (roolit)	Rollen besetzen	cast	distribuer les rôles
71	maksaa	bezahlen	pay	payer
72	ohjauspöytä	Kontrolltisch	lighting board, lighting console, switch board, sound console	table de contrôle
73	suosionosoitukset	Beifall	applause	applaudissement
74	kohtaus	Auftritt, Bild	scene	scène
75	kuvanvaihto	Szenenwechsel	scene change	changement de tableau
76	pääsylippu	Eintrittskarte	ticket	billet

	Dansk	Norsk	Svenska	Islenzka
77	billetindtægt	billettinntekt	biljettintäkt, biljettinkomst, recett	aðgöngumiðatekjur
78	billetkontor	billettkontor	biljettkontor	aðgöngumiðasala
79	billetpris	billettpris	biljettpris	aðgöngumiðaverð
80	binde	binde, knyte	binda, knyta	binda, hnýta
81*	blinkprojektør	stroboskop	stroboskop	blikkljós
82*	blitzlampe	blitzlampe	blixtlampa	leifturpera
83*	blybånd	blysnor	blyband	blýkeðja
84*	blænder	blender	bländare	ljósop
85*	blødt lys	flomlys	flodljus	flóðljós
86*	bolt	bolt	bult	bolti
87	bomuldslærred	bomullstoff	bomullsväv	bómullardúkur
88*	bor	bor	borr	bor
89*	bordlampe	bordlampe	bordslampa	borðlampi
90*	boremaskine	bormaskin	borrmaskin	borvél
91	brandalarm	brannalarm	brandalarm	brunakall
92	brandimprægnere	brannimpregnere	brandimpregnera	eldverja
93	brandmand	brannmann	brandman	brunavörður
94	brandslange	brannslange	brandslang	brunaslanga
95*	bro	bro	brygga	brú, bryggja
96	brum	brum	brum	truflanir
97*	bueben	bein	byxa	hliðartjald
98	buelampe	buelampe	båglampa	boglampi

	Suomeksi	*Deutsch*	*English*	*Français*
77	lipputulot	Einnahme	box office takings	recettes
78	lipputoimisto	Theaterkasse	box office	bureau de location, guichet
79	lipun hinta	Preis der Eintrittskarte	price of tickets	prix des billets
80	solmia	binden	tie	attacher, nouer
81*	stroboskooppi	Stroboskop, Lichtzerhacker	stroboscope	stroboscope
82*	salamalamppu	Blitzlichtlampe	flashing lamp, flashlight	lampe à éclairs
83*	lyijypaula, painonauha, painoketju	Bleiband, Vorhangkette	weighted tape, curtain chain	chaîne de plombage
84*	himmennin	Blende	aperture, diaphragm	diaphragme
85*	hajavalo	Flutlicht	flood light	réflecteur
86*	pultti	Bolzen	bolt	cheville
87	pumpulikangas	Baumwollgewebe	cotton canvas	cotonnade
88*	pora	Bohrer	drill	foret
89*	pöytälamppu	Tischlampe	table lamp	lampe de table
90*	porakone	Bohrmaschine	electric drill	machine à forer perforateur, perceuse
91	palohälytys	Feueralarmvor-richtung	fire alarm	avertisseur d'incendie
92	kyllästää tulen-kestäväksi	imprägnieren	fireproof	ignifuger
93	palomies	Feuerwehrmann	fireman	pompier
94	paloletku	Feuerschlauch	fire hose	tuyau
95*	silta	Brücke	bridge	passerelle
96	hurina	Geräusch	hum	bourdonner
97*	sivuverho	Seitenhänger	leg	pendrillon
98	kaarilamppu	Bogenlampe	carbon arc	projecteur à arc

	Dansk	Norsk	Svenska	Islenzka
99	bukke (ned, op)	vri (ned, opp)	bocka (ned, upp), stupa	beygja (upp, niður)
100	bus	buss	buss	strætisvagn, áætlunarbíll
101	bænk	benk	bänk	bekkur
102	bølger	bølger	vågor	öldur
103	båd	båt	båt	bátur, skip
104	båndbredde	båndbredde	bandbredd	breidd bandsins
105	båndhastighed	båndhastighet	bandhastighet	hraði bandsins
106	båndoptager	båndopptaker	bandspelare	segulbandstæki
107	båndsaks	redigeringssaks	redigeringssax	skæri eða skeri til þess að klippa band eða filmu
108	C.P.R.-nummer (personnummer)	fødselsnummer	personnummer	nafnnúmer
109	damefrisør	frisørdame	damfrisör, damfrisörska	hárgreiðslukona
110*	dameside, D.S.	høyre (fra salongen sett)	höger (från salongen sett)	hægri (frá áhorfendasal)
111	danne	fremstille, tolke	gestalta	sýna, skapa, túlka
112*	datakort	hullkort	datakort, hålkort	tölvuspjald
113	datamaskine	hullkortmaskin	dator	tölva
114	dekoration	dekorasjon	dekoration, dekor	sviðsmynd, leikmynd
115*	dekorationsdel	dekorasjonsdel	dekorationsbit, dekorbit	hluti úr leikmynd
116	dekorations- magasin	dekorasjons- magasin	dekorations- magasin, dekor- magasin	leikmyndageymsla
117	dekorationsmaler	dekorasjonsmaler	dekorationsmålare, dekormålare	leikmyndamálari
118*	dekorationsmodel	scenemodell	dekormodell, scenmodell	sviðslíkan

26

Suomeksi	Deutsch	English	Français
99 kääntää (alas, ylös)	neigen, heben	tilt (down, up), angle (down, up)	s'incliner, se relever
100 linja-auto	Bus	bus	autobus
101 penkki	Reihe	row (of seats)	banc
102 laineita	Wellen	waves	vagues
103 laiva	Schiff	boat	bateau
104 nauhan leveys	Bandbreite	tape width	largeur de bande
105 nauhan nopeus	Bandgeschwindigkeit	speed of tape	vitesse de bande
106 nauhuri	Tonbandgerät	tape recorder	magnétophone
107 (ääni-)nauhaleikkuri	Cutterschere	splicer	ciseaux démagnétisés
108 henkilönumero	Personenkennnummer	identity number (for tax purposes)	numéro d'identification
109 kampaaja	Friseur, Friseuse	hairdresser	coiffeur pour dames
110* oikea (salongista katsoen)	rechts (vom Publikum gesehen)	prompt, P., stage right (as seen from auditorium)	à droite
111 hahmottaa	gestalten	create, portray	composer
112* reikäkortti	Lochkarte	computer card	carte perforée
113 tietokone	Computer	computer	ordinateur
114 lavastus	Ausstattung, Dekoration	set, decor	décors
115* lavaste	Versatzstück	bit of the set, piece of scenery	ferme
116 lavastevarasto	Abstellraum, Dekorationsmagazin	store (for scenery), scenic dock, loading bay	magasin à décors
117 lavastusmaalari	Bühnenmaler	scenic painter	décorateur exécutant
118* näyttämön pienoismalli	Bühnenmodell	set model	maquette

	Dansk	Norsk	Svenska	Islenzka
119	dekorationsskift	dekorasjonsskift	scenbyte	skipting
120*	dekorationsvogn	dekorasjonsvogn	dekorationsvagn, dekorvagn	sviðsvagn
121*	delrampe (rampe i flere sektioner)	lysrenne, rampe, lamperekke	sektionsramp	skipt ljósarenna
122	diffust lys (fuldt)	spredende lys (full)	spritt ljus (fullt)	sem dreifðust ljós, sem viðust ljós
123*	direktionsloge	styrelosje	direktionsloge	stúka leikhús-stjórnar
124	direkte-strøm (fødeledning)	direkte strøm	direktström, fast ström	beint rafmagn
125	dirigent	dirigent	dirigent	hljómsveitarstjóri
126	dirigentpult	dirigentpult	dirigentpult	borð hljómsveitar-stjóra
127	diskantkontrol	diskantkontroll	diskantkontroll	tónhæðarstillir
128	distancere	distansere	distansera	sýna (sjá úr fjar-lægð)
129	diæt	diet	dagtraktamente	dagpeningar
130*	dobbeltscene	simultanscene	simultanscen	fjölsvið
131*	dobbeltstik	fordelingsboks	grenuttag, groda	fjöltengi
132*	draperi	draperi	draperi	dekkingartjöld
133*	draperikappe	suffit, kappe	suffit, mantel	sviðsopskappi
134*	draperiskinne	draperiskinne	draperiskena	rennibraut fyrir dekkingartjald
135	dreje	dreie	vrida	snúa
136*	drejescene	dreiescene	vridscen	hringsvið
137	dublere	dublere	dubblera (roll)	æfa tvo leikara í sama hlutverk, æfa sama leikara í tvö hlutverk

28

Suomeksi	Deutsch	English	Français
119 näyttämön vaihto	Umbau	set change	changement de décor
120* lavastevaunu	Bühnenwagen	truck	plateforme roulante de décors
121* ramppiyksikkö, osaramppi	unterteilte Rampe	batten lights	herse cloisonnée
122 hajavalo	Streulicht	spread beam (fully)	faisceau au maximum d'ouverture
123* johtokunnan aitio	Dienstloge, Intendantenloge	theatre director's box	loge de la direction
124 suora virta	Stromanschluss	primary circuit (to intake room)	courant d'alimentation
125 orkesterin johtaja	Dirigent	conductor, music director	chef d'orchestre
126 orkesterinjohtajan koroke	Dirigentenpult	conductor's podium	pupitre de chef d'orchestre
127 diskantin tarkkailu	Diskantkontrolle	treble control	contrôle de discount
128 vieraannuttaa	distanzieren	be detached, objective	distancer
129 päiväraha	Tagegeld, Diäten	allowance	indemnité journalière
130* simultaaninäyttämö	Simultanbühne	simultaneous staging, montage	scène simultanée
131* haarapistorasia, lattiapistorasia, sammakko	Doppelsteckdose, Abzweigdose	electric plugboard, mutiple plug	boîte de raccordement
132* verhot	Draperie	drapery, swag, tatt	draperies
133* suffiitti	Soffitte	teaser	frise
134* verhokisko	Vorhangschiene	curtain track	patience
135 vääntää	drehen	turn, revolve	tourner
136* pyörönäyttämö	Drehbühne	revolving stage	scène tournante
137 vuorotella, samassa roolissa	eine Rolle doppelt besetzen	understudy	doubler

	Dansk	Norsk	Svenska	Islenzka
138	dække ind	dekke inn	täcka in	klæða, hylja
139	dæmpning	dempning	dämpning	deyfing, dempun
140*	dør	dør	dörr	dyr
141*	dørkarm	dørkarm	dörrkarm	dyrastafur
142	effektforstærker	effektforsterker	effektförstärkare	leikhljóðsmagnari
143	effektlys	effektlys	effektljus	áhrifaljós, leikbragðaljós
144	effektprojektør	effektkaster	effektstrålkastare	áhrifaljóskastari
145	effektskive	effektplate	effektskiva	effektaskífa
146	efterklang	etterklang	efterklang	ómur, hljómur
147	efterklangstid	etterklangstid	efterklangstid	hljómlengd
148	ekkoplade	ekko	plåteko	iðubergmál
149	ekkoudgang	ekkotapping	ekotappning	bergmálsvíkkun
150*	ekspanderbolt	ekspansjonsbolt	expanderbult	þenslubolti
151*	ekstra proscenium	ekstra proscenium	extra-proscenium	ljósaturn
152	elcentral	elsentral	elcentral	spennistöð
153	elektricitetsværk	elektrisitetsverk	elektricitetsverk	rafstöð
154	elektriker	elektriker	elektriker	rafvirki
155	elektrisk	elektrisk	elektrisk	rafmagns, rafmagnaður
156	elektronisk kontrol	elektronisk kontroll	elektronisk kontroll	rafeindarstjórn
157	elevator	heis	hiss	lyfta
158	engagere	engasjere	engagera	ráða, fastráða
159	ensemble	ensemble	ensemble	leikhópur

	Suomeksi	Deutsch	English	Français
138	peittää	abdecken	mask	masquer
139	hiljennys	abdämpfen	damp, mute, muffle	éteindre
140*	ovi	Tür	door	porte
141*	oven kehys	Türrahmen	door-frame	chambranle (encadrement de porte)
142	tehostevahvistin	Verstärker	amplifier	amplificateur
143	tehostevalo	Effektlicht	special effects light	éclairage à effets
144	tehostevalonheitin	Effektscheinwerfer	special effects spot	projecteur à effets
145	tehostelevy	Effektscheibe	special effects disk, special effects wheel	disque à effets
146	jälkikaiku	Nachhall, Resonanz	acoustic resonance	résonance acoustique
147	jälkikaiun kesto	Echozeit	resonance time	durée de résonance acoustique
148	levykaiku	Blechecho	metal echo	écho métallique
149	kaiutus	Ausklingen des Echos	echo-fade-out	shuntage d'écho
150*	kiilapultti	Dehnungsbolzen	expanding bolt	cheville à expansion
151*	ylimääräinen etunäyttämö	Spielproszenium	false proscenium	portique
152	sähkökeskus	Elektrizitätszentrale	fuse box (including circuit)	armoire de protection
153	sähkölaitos	Elektrizitätswerk	electricity board	"transfo", cabine électrique
154	sähkömies	Elektriker	electrician	électricien
155	sähköinen	elektrisch	electric, electrical	électrique
156	sähköinen tarkkailu	elektronische Kontrolle	electronic control	contrôle électronique
157	hissi	Fahrstuhl	elevator, lift	ascenseur
158	kiinnittää	engagieren	employ	engager
159	näyttelijäkunta	Ensemble	company	troupe fixe, compagnie

31

Dansk	Norsk	Svenska	Islenzka
160 ensretter	likeretter	likriktare	afriðill
161 entré	entré	entré	innkoma
162* estrade, podium	plattform, platting, podium	estrad, podium	upphækkun, pallur
163 fade ud	nedtone	tona ned, fade out	lækka, deyfa
164* fakkel	fakkel	fackla	blys
165* faldlem	fallem, falluke	fallucka	hleri
166 falsk lys	strølys	slaskljus	bjarmi
167* falsk proscenium	ekstra proscenium	extra proscenium	viðbótarframsvið
168 fare	fare	fara	hætta
169 farve	farge	färg	litur, málning
170* farvefilter	fargefilter	färgfilter	litaspjald
171* farveramme	filterramme	filterram	litarammi
172* farve-veksler	fargeveksler	färgväxlare	litaskiptir
173 fase	fase	fas	fasi
174 fastgørelse	feste	fäste	festing
175* fastgørelsesbeslag	festebeslag	fästjärn	þvinga
176* fatning	lampeholder	lamphållare	ljósastæði
177* fejeblad	feiebrett	sopskyffel	fægiskúffa
178* fejekost	feiekost	sopborste	kústur
179 felt (elektriskt)	felt	fält	svið
180* fil	fil	fil	þjöl
181 filmprojektør	filmfremviser	filmprojektor	sýningarvél
182 filt	filt	filt	teppi
183 fjernstyring	fjernstyring	fjärrmanövrering	fjarstýrður
184* fladbor	plattbor-	plattborr	flatur, trébor

	Suomeksi	Deutsch	English	Français
160	tasasuuntaaja	Gleichrichter	rectifier	redresseur
161	sisääntulo	Auftritt	entrance	entrée
162*	esityslava, koroke, lava	Estrade, Podium	platform, rostrum, bandstand	estrade, podium
163	häivyttää	einziehen (Licht), ausblenden (Ton)	tone down (sound), fade out (lights), dim (lights)	chuinter (son), fermer en fondu (lumière)
164*	soihtu	Fackel	flaming torch	torche
165*	luukku	Versenkungsklappe	trapdoor	trappe
166	vuotovalo	Nebenlicht	spill light	lumière parasite
167*	ylimääräinen etunäyttämö	Spielproszenium	false proscenium	portique
168	vaara	Gefahr	danger	danger
169	väri	Farbe	paint, colour	couleur
170*	värisuodatin	"Gelatine", Farbfilter	colourfilter, gelatine, gel	filtre coloré
171*	värisuodattimen kehys, raami	Filterrahmen	gel frame	support de filtre
172*	värinvaih taja	Farbenwechsler	colour wheel	changeur de couleur
173	vaihe	Phase	phase	phase
174	pidike	Halter, Halterung	fastening	appui
175*	kiinnitysrauta	Seilbefestigung	mounting clamp, C-clamp, G-clamp	collier
176*	lampunpidin	Fassung	electric light socket	douille
177*	kihveli	Kehrblech	dustpan	pelle
178*	lattiaharja	Handfeger	broom	balai
179	kenttä	Feld (elektrisches)	field (electric)	champ (électrique)
180*	viila	Feile	row, file	lime
181	filmiprojektori	Filmprojektor	film projector	projecteur cinéma
182	huopa	Decke	blanket, felt	couverture
183	kauko-ohjaus	Fernsteuerung	remote control	commande à distance
184*	ruuvitaltta	Flachbohrer	drill with circular guide	foret à langue d'aspic

	Dansk	Norsk	Svenska	Islenzka
185*	fladtang	nebbtang	plattång	flatkjafta
186	flamingo	isopor	cellplast	einangrunarplast
187	fly	fly	flyg	flugvél
188	fløjl	fløyel	sammet	flauel
189	focus	fokus	fokus	brennidepill
190	focuseret	konsentrert, fokusert	koncentrerat, fokuserat	skarpur
191*	folde	brette	dubblera, vika	brjóta (saman)
192	foran	foran, framfor	framför	fyrir framan
193	forbud	forbud	förbud	bann
194*	fordelingsboks	fordelingsboks	grenuttag, groda	fjöltengi
195	forestilling	forestilling	föreställning	sýning
196	forforstærker	forforsterker	förförstärkare	formagnari
197	forhøje	heve, løfte	höja	hækka
198*	forhøjningsramme	sarg	sarg	pallagrindur
199	forindstilling	forinnstilling	förinställning	fyrirframstilling
200*	forkappe	portalkappe	ridåkappa	tjaldkappi
201	forlys	frontlys	frontalljus	framljós
202*	forlængelse	skjøteledning	skarvsladd, förlängning	samskeyti
203	forlængerkabel	skjøtekabel	förlängningskabel	framlengingar-snúra
204	forprojektion	frontprojeksjon	frontprojektion	myndvarp framanfrá

	Suomeksi	Deutsch	English	Français
185*	laattapihdit	Flachzange	blunt nosed pliers	tenaille
186	kevelevy, styroksi, solumuovi	Zellkunststoff, Zellplast	polystyrene foam	polystyrène
187	lento	Flug	by air	par avion
188	sametti	Samt	velvet	velours
189	polttopiste	Brennpunkt, Fokus	focus	foyer
190	terävä	konzentriert	focused	concentré au foyer
191*	laskostaa	dublieren, falten	fold	plier
192	edessä	voran	in front of	devant
193	kielto	Verbot	forbidden	défense, interdiction
194*	haarapistorasia, lattiapistorasia, sammakko	Steckdose, Verteilerkasten	electric plugboard, multiple plug	prise multiple
195	näytös	Vorstellung	performance, show	représentation
196	etuvahvistin	Vorverstärker	preamplifier, preamp	préamplificateur
197	nostaa	anheben	raise	élever
198*	reuna	Zarge, Rahmen	frame, gate (rostrum)	châssis de praticable, ferme de praticable
199	etukäteisasennus	Voreinstellung	presetting	préréglage
200*	esirippukate, esiripun kappa	Vorhangschürze	teaser	frise de rideau
201	etunäyttämövalo (katsomosta, suoraan edestä)	Frontallicht	front of house lights	éclairage frontal
202*	liitos	Verlängerungsschnur	extension leads	rallonge
203	jatkokaapeli	Verlängerungskabel	extension cord, extension cable, extension leads	câble de rallonge
204	etuprojektio	Vorderprojektion	front projection	projection frontale

	Dansk	Norsk	Svenska	Islenzka
205	forsatslinse	forsattslinse	försättslins	forlinsa
206*	forscene	forscene	förscen	framsvið
207	forstyrrelse	forstyrrelse	störning	truflun
208	forstærke	forsterke	förstärka	magna, hækka
209	forstærker	forsterker	förstärkare	magnari
210	fortegnelse	fortegnelse	förteckning	listi, skrá
211*	fortæppe (går til siden)	sidegående teppe	dragridå	tjald sem er dregið til hliðar
212*	fortæppe (går op, ned)	horisontalteppe	fallridå	tjald sem er dregið upp
213	fortæppe (lyddæmpende)	støyteppe	arbetsridå	hljóðeinangrað fortjald
214	formindske	minske	minska	minnka
215	fotografi	fotografi	fotografi	ljósmynd
216	fremstille	fremstille, tolke	gestalta	sýna,skapa, túlka
217	frekvens	frekvens	frekvens	tíðni
218	fremfor	framfor, foran	framför	fyrir framan
219	fremkaldelse	fremkallelse	inrop	fá klapp
220	fremkaldelsesliste	applausliste	applådlista	framkallslisti
221*	fremmedloge	fremmedlosje	avantsceneloge	stúka til hliðar við sviðið
222*	fresnelprojektør	fresnelkaster	fresnellstrålkastare	dreifikastari
223	fribillet	fribillett	fribiljett	frímiði
224	frisør	frisør	frisör	rakari
225	frostfilter	frostfilter	spridsken	dreifibirta
226	fuge	skjøt, fuge	fog	samskeyti

36

	Suomeksi	Deutsch	English	Français
205	lisälinssi	Vorsatzlinse	lens	lentille supplémentaire
206*	etunäyttämö	Vorbühne	apron stage, fore-stage	proscenium
207	häiriö	Störung	interference	brouillage, interférence
208	vahvistaa	verstärken	amplify, strengthen, intensify	amplifier
209	vahvistin	Verstärker	amplifier	amplificateur
210	luettelo	Verzeichnis	inventory, list	liste
211*	sivuille vedettävä esirippu	Raffvorhang (seitwärts)	house tabs (that open), runners, tabs	rideau à la grecque
212*	laskettava esirippu	Fallvorhang	house tabs (that fly in)	rideau à l'allemande
213	työesirippu	Arbeitsvorhang	front cloth	rideau de répétition
214	vähentää	vermindern	reduce	diminuer, réduire
215	valokuva	Foto	photography	photographie
216	hahmottaa	darstellen	portray	composer
217	jaksoluku	Frequenz	frequency	fréquence
218	edessä	vorn	in front of	devant
219	ottaa vastaan suosionosoitukset	Einruf	take a curtain call	rappel
220	kiittämisjärjes- tysluettelo	Beifallsliste	list for curtain calls	liste de l'ordre des saluts
221*	näyttämön sivuaitio	Bühnenloge	stage box	loge d'avant-scène
222*	fresnellvalonheitin	Fresnellschein- werfer	fresnel spotlight	projecteur Fresnell
223	vapaalippu	Freikarte	complimentary ticket	billet de faveur
224	kampaaja	Friseur	hairdresser	coiffeur
225	hajasuodatin	Streuscheibe	flooded spotlight	faisceau
226	liitos	Fuge	joint, seam	joint

	Dansk	Norsk	Svenska	Islenzka
227	følgelys	ledelys, gålys	ledljus	leiðarljós
228*	følgeprojektør	følgekaster	följespot	eltiljós (kastari)
229*	gadelygte	gatelykt	gatlykta	götuljós
230	gage	gasje, lønn	gage, lön	laun, þóknun
231	garderobe (for skuespiller)	losje (for skuespiller)	loge (för skådespelare)	búningsherbergi
232	garderobe (for publikum)	garderobe	garderob (för åskådare)	fatageymsla
233*	gardin med italiensk træk	revyteppe	plisséridå	falltjald
234	gardinstang	gardinstang	gardinstång	slá, stöng
235	gaslampe	gasslampe	gaslampa	gaslukt
236	gaslys	gasslys	gasljus	gasljós
237	generalprøve	generalprøve	generalrepetition, genrep	lokaæfing, aðalæfing
238	gengive	gjengi	återge	sýna, bregða upp mynd af
239*	gesims	gesims	kornisch	loftlisti
240*	gevindfatning	Edison holder	spiralfattning, Edison sockel	skrúfaður peruhaus
241*	glider	glider	löpare, vagn	samsetningarhjól (á gluggatjaldi)
242*	glidesøm	glideknapp	glidknapp	rennihnappur
243	glimme	glimmer	glimmer	glit
244*	glødelampe	lyspære	glödlampa	ljósapera
245	grader	gradtall	gradtal	mælikvarði, gráðutala
246	graduere	gradere	gradera	skipta í flokka
247	grammofon	grammofon	grammofon	plötuspilari
248	grammofonplade	grammofonplate	grammofonskiva	hljómplata
249	grunde	grunne	grunda	grunna

	Suomeksi	Deutsch	English	Français
227	opastinvalo	Leitlicht	stage guide light, stage pilot light	veilleuse
228*	seuranta	Verfolger	follow spot	projecteur de poursuite
229*	katulyhty	Strassenlaterne	street lamp	réverbère
230	palkkio	Gage	salary, fee	cachet
231	aitio, pukuhuone	Ankleideraum	dressing room	loge d'artistes
232	aitio, pukuhuone	Garderobe	cloak room	vestiaire
233*	Wagner-esirippu	Wagnervorhang	drapes that butterfly in and out	rideau plissé
234	reunus, kattolista	Gardinenstange	curtain rod	tringle de rideau
235	kaasulamppu	Gaslampe	gaslamp	lampe à gaz
236	kaasulamppu	Gaslicht	gaslight	éclairage au gaz
237	pääharjoitus	Generalprobe	dress rehearsal	répétition générale
238	toistaa	wiedergeben	revive	rendre
239*	reunus, kattolista	Gesims	pelmet	corniche
240*	kierrekanta	Edison-Gewinde	Edison screw, E.S., bulb fitting	culot à vis
241*	liukuvaunu, liukukelkka	Laufrolle	bobbins, runners	anneaux de patience
242*	liukunappi	Gleitknopf	dome of silence, furniture foot plate	dôme de silence
243	kiille	Isoliermasse	frosting, diffuser	filtre en mica, filtre en gélatine
244*	hehkulamppu	Glühlampe	bulb	lampe
245	asteluku	Gradanzahl	gradation, number of degrees	nombre de degrés
246	asteittaa	graduieren	grade, measure	graduer
247	levysoitin	Grammofon	record player	gramophone
248	äänilevy	Schallplatte	record	disque
249	pohjustaa	grundieren	ground paint	fonder

	Dansk	Norsk	Svenska	Islenzka
250	grundmale	grunne	grundmåla	grunna
251	gruppe	gruppe	grupp	hópur, flokkur
252	gulvkontakt	gulvuttak	golvuttag	gólfinnstunga
253*	gulvlampe	gulvlampe	golvlampa	gólflampi
254*	gulvlem	gulvluke	golvlucka	gólflúga
255	gulvlærred	scenegulvteppe	scenmatta	sviðsteppi
256*	gulvrampe	gulvrampe	golvramp	ljósarenna á gólfi
257*	gulvskrue	sceneskrue	scenskruv	sviðsskrúfa
258	gulvtæppe	gulvteppe	matta	teppi, motta
259	gulvtæppestang	gulvteppelekt	mattläkt	teppalisti
260*	gulvvogn	vogn med oppfellbare hjul	trampvagn	leiktjaldavagn, (leiktjald á hjólum)
261	gæstespil	gjestespill	gästspel	gestaleikur
262	gå i stå (der går en klap ned for)	komme ut av (teksten)	komma av sig	gleyma, ruglast
263	gå ud	gjøre sorti	göra sorti	fara út
264*	halvstik	halvstikk	halvslag	hálfbragð
265	halvt koncentreret	halvt konsentrert	halvt koncentrerat	hálf afmörkuð
266	halvt spredt	halvt spredt	halvt spridd	hálf dreifð
267*	hammer	hammer	hammare	hamar
268	hampereb	hampetau	hamplina	hamptaug
269*	hanstik	hankontakt	hankontakt	karltengill
270	hastig	hurtig	snabb	fljótur, snöggur
271	hejse	heise	hissa	lyfta, draga (upp)

	Suomeksi	Deutsch	English	Français
250	pohjustaa	grundieren	ground paint	peindre une couche de fond
251	ryhmä	Gruppe	group	groupe
252	lattiapistorasia	Bühnensteckdose	floor outlet, dip, dip socket, stage plug	prise au sol
253*	lattialamppu	Bodenlampe	floor lamp	lampe à pied
254*	lattialuukku	Bodenklappe	stage trap	trappe
255	näyttämömatto	Bühnenteppich	stage cloth, ground cloth	tapis de scène
256*	lattiaramppi	Bodenrampe	footlights, floats, floor batten, lighting ramp, ground row	rampe cloisonnée
257*	kahvapuuruuvi	Bühnenbohrer	stage screw	queue de cochon
258	matto	Teppich	rug, carpet, mat	tapis
259	mattorima	Teppichlatte	carpet batten	battant pour tapis
260*	pyöröjalka, kuljetusjalka	Dekorationsteil mit verstellbaren Rädern	truck with liftable wheels	chariot à roues rétractables
261	vierailunäytäntö	Gastspiel	guest company appearance	représentation de passage
262	pudota roolista	steckenbleiben	miss a line, dry, fluff	avoir un trou
263	mennä ulos	abgehen	make an exit	sortir
264*	siansorkka(-solmu)	halber Schlag	half hitch	demi-clef
265	puoliksi keskitetty	mittelgrosser Lichtkegel	half concentrated	faisceau moyen
266	puolihajavalo	halboffener Lichtkegel	half spread beam	faisceau à demi-ouverture
267*	vasara	Hammer	hammer	marteau
268	hamppuköysi	Hanfseil	rope made of hemp	fil de chanvre
269*	urospistoke	Stecker	male contact	fiche
270	nopea	schnell	fast, quick	rapide
271	laskea	aufziehen, hochziehen	raise, fly (in, out)	appuyer

	Dansk	Norsk	Svenska	Islenzka
272	helt focuseret	helt konsentrert, fokusert	helt koncentrerat, fokuserat	sem afmörkuðust
273*	herse	takrampe	takramp	loftljósarenna
274	hessian	sekkestoff	säckväv	pokastrigi
275	hisse	heise	hissa	lyfta, draga (upp)
276*	horisontbatteri	horisontbatteri	horisontbatteri	brú fyrir hringhiminlýsingu
277	horisontbelysning	horisontbelysning	horisontbelysning	hringhiminlýsing, lárétt lýsing
278*	horisontskinne	horisontstyring	horisontgejd, horisontbana	lárétt rennibraut
279	horisonttæppe	horisontteppe	horisonthängning	hringhiminn
280	hovedblænder	hovedblender	huvudbländare	hringloka
281	hovedkabel	hovedledning	matarkabel, huvudledning	aðalleiðsla
282	hovedregulator	hovedsete	huvudreglage	aðalstillir
283	hovedrolle-indehaver	hovedrolle-innehaver	huvudrollsinne-havare	aðalleikari
284	hovedsikring	hovedsikring	huvudsäkring	aðalöryggi
285	hovedstrøm-afbryder	hovedbryter	huvudström-brytare	aðalstraumrofi
286*	hovedtæppe	hovedteppe	huvudridå	fortjald
287	hukommelse	hukommelse	minne	minni
288*	hulkort	hullkort	hålkort	gatakort
289*	hulkort bånd	hullbånd	hålremsa	gataræma
290*	hunstik	hunkontakt	skarvkontakt, honkontakt	kventengill
291	hurtig	hurtig	snabb	fljótur, snöggur
292	hurtigt dekora-tionsskift	hurtigskift	snabbyte	hraðskipting

	Suomeksi	Deutsch	English	Français
272	täysin terävä	ganz konzentriert	fully focused	totalement concentré
273*	kattoramppi	Oberrampe	fly floor, grid	herse
274	säkkikangas	Rupfen	sackcloth	toile à sac
275	nostaa	hochziehen	raise, fly (in, out)	hisser
276*	horisonttiylävalot	Horizontbeleuch-tungsbatterie	cyclorama battens, cyc battens	herse de lointain
277	horisontin valaistus	Horizontbeleuch-tung	cyclorama lights, cyc lights	éclairage d'horizon
278*	horisonttikisko	Laufbahn des Horizontes	cyclorama track, cyc track	patience de cyclorama
279	horisonttiverho	Horizont aufhängen	cyclorama, cyc	accrochage du cyclorama
280	päähimmennin	Hauptblende	main aperture, diaphragm	diaphragme principal
281	pääjohto	Hauptzuleitung	main circuit	câble principal électrique
282	päähimmennin	Hauptregulator	grand master dimmer, master dimmer, blackout dimmer	réglage général
283	pääroolin esittäjä	Hauptdarsteller	lead, leading part	vedette
284	päävaroke	Hauptsicherung	main fuse	fusible principal
285	pääkytkin	Hauptschalter	main circuit breaker	interrupteur général
286*	pääesirippu	Hauptvorhang	house tabs, front of house tabs	rideau d'avant-scène
287	muisti	Gedächtnis	memory	mémoire
288*	reikäkortti	Lochkarte	computer card	carte perforée
289*	reikänauha	Lochstreifen	computer tape	bande perforée
290*	naaraspistoke	Steckbuchse	female contact	douille
291	nopea	schnell	fast, quick	rapide, vite
292	pikavaihto	schnelle Verwandlung	quick change	changement instantané

	Dansk	Norsk	Svenska	Islenzka
293	hylde	hylle	hylla	hylla
294*	hæfteklamme	stift (til stifte-maskin)	häftklammer	heftivír
295*	hæftepistol	stiftemaskin	häftpistol, spikpistol	heftibyssa
296	hænge op	henge opp	hänga upp	hengja upp
297	hængekontakt	hengekontakt	hängkontakt	lausatengi
298	hængning i loft	henging	hängning	upphenging
299*	hængsel	hengsel	gångjärn	lamir, hjarir
300	hæve	heve	höja	hækka
301	højne (lyd)	høyne (lyd)	höja (ljud), öka	auka hljóðstyrk, hækka (hljóð)
302	højre	høyre	höger	hægri
303	højttaler	høyttaler	högtalare	hátalari
304	højttalerudgang	høyttaleruttak	högtalarutgång	hátalaraútgangur
305*	høretelefon	høretelefon	hörtelefon, hörlurar	heyrnartól
306*	håndlampe	håndlampe	handlampa	handlampi
307*	håndmikrofon	håndmikrofon	handmikrofon	handhljóðnemi
308	håndtag	håndtak, spak	handtag, manöver-spak, spak	stjórnsveif, handfang, stöng
309*	ildslukningsapparat	brannslukkings-apparat	eldsläcknings-apparat	slökkvitæki
310	impedans	impedans	impedans	viðnám
311	imprægnere	impregnere	impregnera	eldverja, olíubera
312	indbydelse	innbydelse	inbjudan	boð
313	indgang	inngang	ingång	inngangur
314	indirekte belysning	indirekte belysning	indirekt belysning	óbein lýsing
315	indkig	innkikk	inkik	gægjugat

	Suomeksi	Deutsch	English	Français
293	hylly, kannake	Regal	shelf	planche
294*	liitin	Heftklammer	staples	agrafe
295*	liitin	Heftpistole	staple gun	agrafeuse
296	ripustaa	aufhängen	fly, hang up	suspendre
297	riippupistorasia	Hängestecker	lead from fly floor plug	prise électrique suspendue
298	ripustaminen	Haken	hanging, flying	suspension
299*	sarana	Scharnier	hinge	charnière
300	nostaa	heben	raise	élever
301	nostaa voimakkuutta	verstärken	turn up (sound)	augmenter
302	oikea	rechts	right	droit
303	kovaääninen	Lautsprecher	loudspeaker	haut-parleur
304	kovaäänispistorasia	Lautsprecher-ausgang	loudspeaker outlet, audio plug	sortie de haut-parleur
305*	kuulokkeet	Kopfhörer	earphones, head set	écouteurs
306*	käsivalaisin, "roikka"	Handlampe	portable work lamp, wander lamp	baladeuse
307*	käsimikrofoni	Handmikrofon	hand microphone, hand mike	micro baladeur
308	ohjausvipu, vipu, kahva	Handgriff	lever, handle	levier
309*	tulensammutuslaite	Feuerlöscher	fire extinguisher	extincteur
310	vaihtovirtavastus	Widerstand	impedence	impédance
311	palokyllästää	imprägnieren	impregnate	imprégner
312	kutsu	Einladung	invitation	invitation
313	sisääntulo	Eingang	entrance	entrée
314	epäsuora valaistus	indirekte Beleuchtung	indirect light	éclairage indirect
315	kurkistusaukko	Einsicht	gap in the masking	découverte entre les châssis de coulisses

	Dansk	Norsk	Svenska	Islenzka
316	indløbstape	redigeringstape	redigeringstejp	samskeytingar-band, límband
317*	indrammet	innrammet	beramad, inramad	innrammaður
318*	indre proscenium	indre proscenium	inre proscenium	innri sviðsrammi
319	indringning	innringning	inringning	boðunarhringing
320	inskrænke	minske	minska	minnka
321	indspille	innspille	spela in	taka upp
322	indspilning	innspilling	inspelning	upptaka
323	indspilningshoved	innspillingshode	inspelningshuvud	upptökuhöfuð
324	indspilningsstudio	innspillingsstudio	inspelningsstudio	upptökusalur, stúdíó
325	indstille	stille, rette (lys)	rikta	beina
326	indstillingsmærke	fokusmerke	fokusmärke	fókusmerki
327	instruktør	regissør	regissör, iscensättare	leikstjóri
328	instruktørassistent	regiassistent, in-struksjonsassistent	regiassistent	aðstoðarleikstjóri, aðstoðarmaður leikstjóra
329	instruktørbord	regibord	regibord	borð leikstjóra
330	intensitet	intensitet	intensitet	styrkur, kraftur, ákafi
331	intern kanal	intern tv	intern tv, ITV	innanhússjónvarp
332	interview	intervju	intervju	viðtal
333	intonation	intonering	intonation	hitta á réttan tón, áherzla
334*	irisblænder	irisblender	irisbländare	hringloka
335	isolering	isolering	isolering	einangrun
336	isoleringsbånd	isolasjonstape	isoleringsband	einangrunarband

	Suomeksi	Deutsch	English	Français
316	nauhateippi	Klebeband	splicing tape	ruban adhésif de montage
317*	kehystetty	eingerahmt	framed	encadré
318*	näyttämöaukon sivutornit	Spielproszenium	false proscenium, permanent false proscenium	manteau d'Arlequin
319	kutsusoitto	einläuten	warning bell, bar bell, front of house bell	sonnerie
310	vähentää	vermindern	reduce	réduire
321	nauhoittaa	aufnehmen	record, tape	enregistrer
322	nauhoitus	Aufnahme	recording	enregistrement
323	ottopää	Tonkopf	recording head	tête d'enregistrement
324	nauhoitusstudio	Aufnahmestudio	recording studio	studio d'enregistrement
325	suunnata (valo)	richten, einstellen	angle, direct, throw (beam of a lamp)	diriger, adapter (lumière)
326	polttopiste	Fokus-markierung	focal-point	point focal
327	ohjaaja	Regisseur, Spielleiter	director	metteur en scène
328	ohjaajanapulainen	Regieassistent	assistant director	assistant du metteur en scène
329	ohjaajanpöytä	Regietisch	production desk, director's desk	table de metteur en scène
330	voimakkuus	Intensität	intensity	intensité
331	sisäinen tv	Betriebsfernsehen	closed circuit tv	circuit interne de tv
332	haastattelu	Interview	interview	interview
333	intonaatio	Intonation	intonation	intonation
334*	iirissuljin	Irisblende	iris-shutter	diaphragme iris
335	eristys	Isolierung	insulation	isolation
336	eristysnauha	Isolierband	insulation tape	ruban isolant

47

	Dansk	Norsk	Svenska	Islenzka
337	jerntråd	jerntråd	järntråd	stálþráður
338*	jerntæppe	brannteppe, jernteppe	brandridå, järnridå	brunatjald, járntjald
339	jordforbundet	jordet	jordad	öryggisjarðtengdur
340	justere	justere	justera	laga, breyta
341	jævn strøm (=)	likestrøm (=)	likström (=)	jafnstraumur (=)
342*	kabelpakke	kabelmatte	kabelmatta	kapalbretti
343	kaldemikrofon	kallemikrofon	ordermikrofon, kallningsmikrofon	kallhljóðnemi
344	kanal	kanal	kanal	rás
345*	kandelaber	kandelaber	kandelaber	kertastjaki
346	kant	sarg	sarg	pallagrindur
347	kantine	kantine	personalmatsal, kantin	matsalur fyrir starfsfólk
348*	kappe	suffit	suffit, tak	þakkappi
349	karakter	karakter	karaktär	skapgerð, manngerð
350	karakterrolle	karakterrolle	karaktärsroll	skapgerðarhlutverk
351	kasserer	kasserer	kassör	gjaldkeri
352	kassererske	kassererske	kassörska	gjaldkeri
353	kassette	kassett	kassett	smáspóla, snælda
354	kassettebåndoptager	kassettbåndopptaker	kassettbandspelare	smáspólutæki
355	katastrofelys	nødlys	panikljus, nödljus	neyðarljós
356*	kaus	kause	kaus (kås)	kós
357	klangfarve	klangfarge	klangfärg	hljómáferð
358	klangfjederekko	spiralekko	spiraleko	riðbergmál
359	klaverstemmer	pianostemmer	pianostämmare	píanóstilling-armaður
360	klaverstreng	pianotråd	pianotråd	píanóstrengur

	Suomeksi	Deutsch	English	Français
337	rautalanka	Eisendraht	wire	fil de fer
338*	paloesirippu, rautaesirippu	eiserner Vorhang	fire curtain	rideau de fer
339	suojamaadoitettu	geerdet	earthed, grounded	mettre à la terre
340	säätää	justieren	adjust	régler
341	tasavirta (=)	Gleichstrom (=)	direct current, D.C.(=)	courant continu (=)
342*	kaapelimatto	Kabelteppich	tripes, cable sleeve	garniture
343	komentomikrofoni	Rufanlage	prompt corner microphone, cue mike	microphone d'appel
344	kanava	Kanal	channel	canal
345*	kynttelikkö	Kandelaber	candelabrum	candélabre
346	reuna	Zarge, Rahmen	gates, frames	bord
347	henkilökunnan ruokasali	Kantine	staff dining room	cantine
348*	katto, yläkate	Soffitte	border (top masking)	frise
349	luonne	Charakter	character	caractère
350	luonnerooli	Charakterrolle	character part	rôle de caractère
351	kassanhoitaja	Kassierer	cashier	caissier
352	kassanhoitaja	Kassiererin	cashier	caissière
353	kasetti	Kassette	casette	châssis
354	kasettinauhuri	Kassettenrecorder	casette tape recorder	magnétophone à cassettes
355	hätävalot	Notbeleuchtung	emergency light	éclairage de sécurité
356*	purjerengas	Kausche	curtain neat	renfort de tête de rideau
357	sointiväri	Klangfarbe	tone quality	coloration du son
358	jousikaiku	Spiralecho	spiralling echo	écho en spirale
359	pianonvirittäjä	Klavierstimmer	piano tuner	accordeur de piano
360	pianon kielilanka	Klaviersaiten	piano string	corde à piano

	Dansk	Norsk	Svenska	Islenzka
361	klædeskabskuffert	kostymekasse	kyrka, klädkyrka	laust fatahengi, fatapoki
362	kløtsel	jutestoff	juteväv	jútadúkur
363*	knibtang	hovtang	hovtång	naglbítur
364*	knude	knop, knute	knut, knop	hnútur
365	knytte fast	knytte fast	knyta fast	binda fast
366	koble (til, fra, ud)	koble (sammen, fra, av)	koppla (ihop, ifrån, isär, ur)	tengja, rjúfa, binda saman, losa sundur, taka úr sambandi
367	koldt lys	kaldt lys	kallt ljus	kalt ljós
368	komme ind	gjøre entré	göra entré	koma inn
369	komponist	komponist	komponist, tonsättare	útsetjari, tónskáld
370*	kompressor	kompressor	kompressor	pressa, þjappa
371	konception	konsepsjon	konception	skilningur (á leikriti, hlutverki)
372*	kongeside, K.S.	venstre (fra salongen sett)	vänster (från salongen sett)	vinstri (frá áhorfendasal)
373*	konsol	knekt	konsol, stöd	hyllujárn
374	konto	konto	konto	reikningur
375	kontorchef	kontorsjef	kamrer	bókari
376	kontrahent	part	kontrahent, part	aðili, samningsaðili
377	kontrakt	kontrakt	kontrakt	samningur
378*	kontravægt	motvekt, lodd	motvikt, pundare	lóð, mótvægi
379*	kontravægtkasse	motvektsleide	motviktslåda, kapsel, skopa	lóðakassi, mótviktarsleði
380*	kontravægttov	motvektstau	motviktslina	lóðalína

	Suomeksi	Deutsch	English	Français
361	vaatelaatikko	Kostümkiste	wardrobe crate	panière à costumes
362	juuttikudos	Jute	burlap, hemp canvas	jute
363*	hohtimet	Kneifzange	pincers	tenailles
364*	solmu	Knoten	knob	nœud
365	sitoa, solmia	festknüpfen	tie up, bind	attacher
366	liittää, irrottaa, ottaa erilleen	verbinden, trennen	connect, disconnect	brancher, débrancher
367	kylmä valo	kaltes Licht	cold light	lumière froide
368	tehdä sisääntulo	auftreten	make an entrance	faire une entrée
369	säveltäjä	Komponist, Tonsetzer	composer	compositeur
370*	paineilmapuristin	Kompressor	compressor	compresseur
371	käsitys	Konzeption	conception	conception
372*	vasen (salongista katsoen)	links (vom Publikum gesehen)	opposite prompt, O.P., stage left (as seen from auditorium)	jardin, côté jardin
373*	kannate	Konsole	console	console
374	tili	Konto	account	compte
375	taloudenhoitaja	Verwaltungs-direktor	accountant	administrateur
376	sopimuspuoli	Kontrahent	party	contractant
377	sopimus	Vertrag, Kontrakt	contract	contrat
378*	vastapaino, puntti	Gegengewicht	counterweight, stage weight, sandbag	contrepoids
379*	vastapainokelkka	Gegengewichts-stange	counterweight cage	boîte à contrepoids
380*	vastapainon köysi	Gegengewichtszug	counterweighted flyline, fly line	fil de contrepoids

	Dansk	Norsk	Svenska	Islenzka
381	kontrol	kontroll	kontroll	stjórn
382	kontrollør	kontrollør	biljettvaktmästare	dyravörður
383	koordinatorvælger	koordinatorvelger	koordinatorväljare	samstillir
384	kor	kor	kör	kór
385	korist	korist	korist	kórfélagi
386	kortslutning	kortslutning	kortslutning	skammhlaup
387*	kost	feiekost	kvast, sopborste	kústur
388	kostume	kostyme	kostym	búningur
389*	krampe	festejern, krampe	fästjärn, krampa	festijárn
390	kreds	krets	krets	rafrás
391	kritik	kritikk	kritik	gagnrýni
392	kritiker	kritiker	kritiker	gagnrýnandi
393	kritisere	kritisere	kritisera	gagnrýna
394*	krydsfelt	krysskoblingsbord	kopplingsbord	skiptiborð
395*	krydsfinér	kryssfinér	kryssfanér, plywood	krossviður
396*	kuglemikrofon	rundkjennende mikrofon	kulmikrofon	hljóðnemi sem tekur hljóð úr öllum áttum
397*	kukkasseteater	titteskapsteater	tittskåpsteater	tvískipt leikhús þar sem skilin eru greinileg milli salar og sviðs
398	kunstnerisk leder	kunstnerisk leder	konstnärlig ledare	listrænn leikhússtjóri
399	lakfarve	lakkmaling	lackfärg	lakk
400*	lampebræt	lamperekke	lampbräda	perufjöl
401*	lampesokkel	lampesokkel	lampsockel	lampafótur
402*	lampestilling	lampestilling	lampstativ	lampastaða
403	langsomt	langsomt	långsamt	hægt
404*	lassoline	kasteline, kastetau	påkastlina	reimingarband

	Suomeksi	Deutsch	English	Français
381	tarkkailu	Kontrolle	control	contrôle
382	vahtimestari	Platzanweiser	auditorium attendant	contrôleur de billets
383	rinnakkaissäädin	Koordinations-wähler	coordinating selector	sélecteur de pré-paration d'éclairage
384	kuoro	Chor	choir	chœur
385	kuorolainen	Chorsänger	member of the chorus	choriste
386	oikosulku	Kurzschluss	short circuit	court-circuit
387*	lattiaharja	Besen	broom	balai
388	puku	Kostüm	costume	costume
389*	tukirauta	Krampe	wall brace	collier
390	piiri	Stromkreis	circuit	circuit
391	arvostelu	Kritik	review, criticism	critique
392	arvostelija	Kritiker	critic	critique
393	arvostella	kritisieren	criticize	critiquer
394*	kytkentäpöytä	Schaltpult	patch board	jeu à fiches, répartiteur
395*	ristivaneri	Sperrholz	plywood	contreplaqué
396*	pallomikrofoni	Kugelmikrofon	omnidirectional microphone, omnidirectional mike	micro multi-directionnel
397*	tirkistyskaappi-teatteri	Guckkastentheater	picture frame theatre, proscenium stage	théâtre à l'italienne, théâtre frontal
398	taiteellinen johtaja	künstlerischer Leiter	artistic director	directeur artistique
399	lakkamaali	Lackfarbe	emulsion paint	couleur vernissée
400*	lamppurivi	Lampenhaltebrett	board of lights	rampe électrique
401*	lampunkanta	Edison-Gewinde	lamp socket	culot Edison
402*	lamputeline	Stativ	light stand	support
403	hitaasti	langsam	slowly	lentement
404*	heittoliina	Schlagleine	lash line	guinde

	Dansk	Norsk	Svenska	Islenzka
405	laste	laste	lasta	hlaða, ferma
406	lastelem	lasteluke	lastlucka	hleðsluhleri
407	lasterampe	lasterampe	lastbrygga	hleðslupallur
408	lavvoltslampe	lavvoltslampe	lågvoltslampa	lágspennulampi
409	ledning	ledning	ledning	leiðsla, snúra
410	leje	leie	hyra	leigja
411	licens	lisens	licens	leyfi, afnotagjald
412	lille	liten	liten	lítill
413	limfarve	limfarge	limfärg	límfarvi
414	lodde	lodde	löda	lóða
415*	loddekolbe	loddebolt	lödkolv	lóðbolti
416	loddested	loddepunkt	lödställe	lóðsvið
417	loddetin	loddetinn	lödtenn	lóðtin
418*	lodret-linse	vertikallinse	linsvertikal	linsuhæð
419	loftlem	takluke	taklucka	þaklúga
420	loftarmatur	takarmatur	takarmatur	loftljós
421*	loge (på tilskuer-pladsen)	losje (i salongen)	loge (i salongen)	stúka
422	logi	losji	logi	húsnæði
423*	lommelygte	lommelykt	ficklampa	vasaljós
424	luftkonditionering	friskluftanlegg	luftkonditionering	loftræsting
425	lukke	lukke	stänga	loka
426	lyd	lyd	ljud	hljóð
427	lydbord	lydbord	ljudbord	hljóðborð

Suomeksi	Deutsch	English	Français
405 kuormata	laden	load	charger
406 kuormausluukku	Ladeluke	dock doors	trappe, porte d'accès des décors
407 kuormaussilta, lastaussilta	Ladebühne, Laderampe	loading bay platform (outside dock-doors)	quai de chargement
408 matalajännite-lamppu	Niederspannungs-lampe	low voltage lamp	lampe à faible voltage
409 johto, sähköjohdatin	Kabel, Leitung	cord, cable, lead	câble électrique
410 vuokra	mieten	rent	louer
411 lupa, lisenssi	Lizenz	licence, permit	licence
412 pieni	klein	small	petit
413 liimaväri	Leimfarbe	scenic paint, sized paint	couleur en détrempe
414 juottaa	löten	solder	souder
415* juotoskolvi	Lötkolben	soldering iron	fer à souder
416 juottokohta	Lötstelle	soldering point	endroit à souder
417 juotostina	Lötzinn	solder	fil à souder
418* vertikaaliheitin, pintaheitin	Vertikalschein-werfer	vertical lens	lentille verticale
419 kattoluukku	Dachluke	hatch, skylight, roof trap	trappe d'ouverture du lanterneau
420 kattovalaisin	Deckenarmatur	overhead light	lanterneau
421* aitio	Loge	box (in the auditorium)	loge
422 majoitus	Logis	lodgings	gîte, chambre d'hôtel
423* taskulamppu	Taschenlampe	flashlight, torch	lampe-torche
424 ilmastointi	Klimaanlage	air conditioning	climatisation
425 sulkea	schliessen	shut	fermer
426 ääni	Laut, Ton	sound, audio	son
427 äänipöytä	Tontisch	sound control board, audio console board	table de contrôle du son

	Dansk	Norsk	Svenska	Islenzka
428	lydbånd	lydbånd	ljudband	hljóðband
429	lydbølge	lydbølge	ljudvåg	hljóðbylgja
430	lydeffekt	lydeffekt	ljudeffekt	leikhljóð
431	lydfilter	lydfilter	ljudfilter	hljóðdeyfir
432	lydkontrol	lydkontroll	ljudkontroll	hljóðstjórn
433	lydmikser	lydmikser	ljudmixer	hljóðblandari
434	lydniveau	lydnivå	ljudnivå	hljóðstyrkur
435	lydpasning	lydpasning	ljudpassning	hljóðgæzla, hljóðeftirlit
436	lydtekniker	lydtekniker	ljudtekniker	hljóðtæknimaður
437	lyn	lyn	blixt	leiftur, blossi
438*	lynapparat	lynaggregat	blixtaggregat	leifturlampi
439	lys	lys	ljus	ljós
440	lys, lysere	lys, lysere	ljus, ljusare	ljós, ljósari
441*	lysbro	lysbro	ljusbrygga	ljósabrú
442	lysdesigner	lysdesigner	ljussättare	ljósameistari
443	lysdæmper	dimmer	dimmer	gegnumleiðari
444	lyseffekt	lyseffekt	ljuseffekt	ljósaáhrif
445	lyskontrol	lyskontroll, lyslosje	ställverk, ljuskontroll	ljósastjórn
446*	lysstofrør	lysstoffrør	lysrör	ljósrör, neon-ljós
447	lysstyrke	lysstyrke	ljusstyrka	ljósastyrkur
448	lyssætning	lyssetting	ljussättning	lýsing

	Suomeksi	Deutsch	English	Français
428	ääninauha	Tonband	soundtrack, audio track	bande son
429	ääniaalto	Tonwelle	sound-wave	onde sonore
430	äänitehoste	Geräuscheffekt	sound effect, audio effect	effet sonore
431	äänisuodatin	Tonfilter	frequency filter, sound filter	filtre de sons
432	äänen tarkkailu	Tonkontrolle	sound control, audio control	contrôle de sons
433	äänen sekoittaja	Tonmixer	sound mixer	mixer de sons
434	äänentaso	Tonniveau	sound level	niveau de sons
435	ääni-isku	Tonwarnzeichen	sound warning cue, stand-by cue	signal sonore (radio)
436	äänimies	Tontechniker	sound man, audio man, sound technician	technicien son
437	salama	Blitz	flash, lighting	éclair
438*	salamalaite	Blitzgerät	lightning wheel	disque pour effets d'éclairs
439	valo	Licht	light, lighting	lumière
440	valoisa,valoisampi	hell, heller	bright, brighter	clair
441*	valosilta	Scheinwerferbrücke	lighting bridge, cat-walk	passerelle d'éclairage
442	valojen suunnittelija	Lichtsetzer	lighting man, head electrician	éclairagiste
443	viertokuristin	Abblendschalter	dimmer	gradateur
444	valotehoste	Lichteffekt	lighting effect	effets d'éclairage
445	valopöytä, valaistuspöytä	Stellwerk	dimmer rack	jeu d'orgue
446*	loisteputki	Leuchtstoffröhre	striplighting, neon lights, striplamp	tube fluorescent
447	valon voimakkuus	Lichtstärke	lighting intensity, strength of a light	intensité lumineuse
448	valojen teko	Licht setzen	set the lights	régie lumière

	Dansk	Norsk	Svenska	Islenzka
449	lysteknik	lysteknikk	ljusteknik	ljósatækni
450*	lystårn	lystårn	belysningstorn	ljósaturn
451	lysændring	lysforandring	ljusförändring	ljósabreyting
452*	læderrem	lærrem	läderrem	leðuról
453	lægge fast	sette fast	lägga fast	festa
454*	lægte	lekt	läkt	listi, slá
455	lærred	linstoff,kløtsel	linneväv	líndúkur
456	læsse	laste	lasta	hlaða, ferma
457	læssedør	lasteinntak	lastintag	hleðsluop
458	læseprøve	leseprøve	kollationering	fyrsti samlestur
459*	løft med wire	punkttrekk	punktlyft	lyfta með kaðli
460	løfte	løfte	lyfta	lyfta
461*	løftestilling	løftebord	lyftbord	lyftipallur
462	løn	lønn	lön	laun, þóknun
463*	låg	lokk	lock	lok
464	magasin	magasin	magasin	geymsla, geymslusalur
465	magnetbånd	lydbånd	magnetband	segulband
466	male	male	måla	mála
467	malersal	malersal	måleri, målarverkstad	málarasalur
468	manuskript	manuskript	manuskript	handrit
469	marketenderi	kantine	personalmatsal, kantin	matsalur fyrir starfsfólk
470	maske (smink)	maske (sminke)	mask (smink)	maski (farði)
471	maske	maske	maska, täcka in	hylja, klæða
472	maskeringstape	maskeringstape	maskeringstejp	málaralímband

	Suomeksi	Deutsch	English	Français
449	valotekniikka	Lichttechnik	lighting technique	technique d'éclairage
450*	valaistustorni	Beleuchtungsturm	lighting tower, lighting boom, lighting ladder	tour d'éclairage
451	valonvaihto	Lichtwechsel	lighting change	changement d'éclairage
452*	nahkahihna	Lederriemen	leather strap	courroie
453	kiinnittää	festlegen	tie	attacher, fixer
454*	rima, ripa	Latte	batten	battant
455	pellavakudos	Leinen	linen canvas	calicot
456	kuormata	Laden	load	charger
457	kuorman vastaanottopaikka	Laderampe	loading bay	entrée des décors
458	lukuharjoitus	Leseprobe	first rehearsal, first reading	lecture à la table
459*	pistenostin	Punktzug	brail line	équipe volante, équipe à mains
460	nostaa	heben	lift	lever
461*	nostolava	Versenkungstisch	hydraulic lift	plateau hydralique
462	palkka	Gage	salary, fee	honoraires, salaire
463*	kansi	Deckel	lid	plancher de praticable
464	varasto	Lagerhaus, Magazin	warehouse, storage place	magasin
465	magneettinauha	Magnettonband	magnetic tape	bande magnétique
466	maalata	streichen, malen	paint	peindre
467	maalaamo	Malerei, Malerwerkstatt	painting workshops	atelier de peinture
468	käsikirjoitus	Manuskript	script	manuscrit
469	henkilökunnan ruokasali	Kantine	staff dining room	cantine
470	maski	Maske (Schminke)	make-up	masque
471	rajata, peittää	abdecken	mask	masquer
472	maalarinteippi	Abdeckband	masking tape	ruban, papier adhésif de protection

	Dansk	Norsk	Svenska	Islenzka
473	medhør	medhør	skvaller	sviðshlustun
474	medhørsforstærker	medhørsforsterker	scenavlyssnings-förstärkare	sviðshlustunar-magnari
475	medhørshøjttaler	medhørshøyttaler	scenavlyssning, skvaller, medhörning	sviðshlustun, hátalarakerfi
476	medvirkende	medvirkende	medverkande	þátttakandi, þátttakendur
477	mellemakt	mellomakt	mellanakt	hlé (milli þátta)
478	mellemaktstæppe	mellomteppe	mellanaktsridå	millitjald
479	mellemregister	mellomregister	mellanregister	millisvið tóna
480	mellemtæppe	tablåteppe	tablåridå	millitjald, tjald inni á sviði
481	middag	middag	middag	kvöldverður
482	midtermærke	midtmerke	mittmärke	miðjumerki
483	mikrofonindgang	mikrofoninngang	mikrofoningång	hljóðnema-inngangur
484*	mikrofonstativ	mikrofonstativ	mikrofonstativ	hljóðnemafótur
485	mikrofonudgang	mikrofonuttak	mikrofonuttag	hljóðnema-útgangur
486	mikser	mikser	mixer	blandari
487*	modstand	motstand	motstånd	viðnám
488	modtager	mottaker	mottagare	móttakari, móttakandi
489	moms	moms	moms	söluskattur
490	musikalsk rettighed	musikalsk rettighet	musikalisk rättighet	flutningsréttur á tónlist
491	musikinstrument	musikkinstrument	musikinstrument	hljóðfæri
492	musikværelse	musikkrom	musikrum	tónlistarsalur, tónlistarherbergi
493	myndighed	myndighet	myndighet	yfirvald

	Suomeksi	Deutsch	English	Français
473	ohjelmakaiutin, lämpiökovaääninen	Höranlage	tanoy	écoute de scène
474	ohjelmakaiuttimen vahvistaja	Bühnenmidthörverstärker	tanoy amplifier	amplificateur d'écoute de scène
475	ohjelmakaiutin, lämpiökovaääninen	Bühnenmithöranlage	tanoy sound monitor	installation d'écoute de scène
476	mukanaolijat	Mitwirkende	performer	participant
477	väliaika	Pause, Zwischenakt	interval, intermission	entracte
478	väliesirippu	Pausenvorhang	act drop, scene drop	rideau d'entracte
479	keskiäänet	Mittellage	middle register	médium
480	esirippu kohtausten välillä	Aktvorhang	tableau curtain	rideau d'avant-scène
481	päivällinen	Abendessen	dinner	dîner
482	keskikohta	Mittellinie	middle point	point milieu
483	mikrofonin pistoke	Mikrofoneingang	microphone input, mike input	entrée de micro
484*	mikrofonin jalusta	Mikrofonstativ	microphone stand, mike stand	pied de micro
485	mikrofonin pistorasia	Mikrofonausgang	microphone outlet, mike outlet	sortie de micro
486	sekoitin	Mixer	mixer	mixer
487*	vastus	Widerstand	resister	résistance
488	vastaanotin	Empfänger	receiver	récepteur
489	liikevaihtovero	Mehrwertsteuer	value added tax	T.V.A.
490	musiikin oikeudet	Urheberrecht für Musik	musical rights	droits musicaux
491	soitin, instrumentti	Musikinstrument	musical instrument	instrument de musique
492	musiikkihuone	Musikzimmer	music room	salle de répétition musicale
493	viranomainen	Behörde	authority	autorité

	Dansk	Norsk	Svenska	Islenzka
494*	møbelhjul	møbelhjul	möbelhjul	hjól undir húsgögnum
495*	møbelplade	møbelplate	lamellträ	samanlímt tré
496	mørk, mørkere	mørk, mørkere	mörk, mörkare	dökkur, dekkri
497*	møtrik	mutter	mutter	ró
498	måle	måle	mäta	mæla
499	måleinstrument	måleinstrument	mätinstrument	mælitæki
500	månelys	månelys	månljus	tunglsljós
501	nationalsang	nasjonalsang	nationalsång	þjóðsöngur
502	ned	ned	ner	niður
503	nedsætte	minske	minska	minnka
504	nedtone	nedtone	tona ned	lækka, deyfa
505	niveau	nivå	nivå	hæð
506*	nodestativ	notestativ	notställ	nótnagrind
507	nulledning	null-ledning	nolledning	straumlaus leiðsla
508	nylontråd	nylontråd	nylontråd	nælonstrengur
509	nødbelysning	nødlys	nödljus	neyðarljós
510	oliefarver	oljefarger	oljefärger	olíulitir
511	omformer	omformer	omformare	riðill
512	omkobling	omkobling	växling	skipti
513	op	opp	upp	upp
514	opførelsesrettig-heder	tillatelse til å spille et stykke	pjäsrättighet, uppföranderätt	leyfi (till þess að leika leikrit)
515	opgave	oppgave	uppgift	verkefni
516*	ophængsjern	hengejern	hängjärn	hengijárn
517	ophængningsliste	plan over trekk	hängningslista	teikning af lofthengingum
518	opkald	oppkalling	kallning	kall
519	oplagre	lagre	lagra	mata

	Suomeksi	Deutsch	English	Français
494*	huonekalupyörä	Schwenkrolle	furniture caster	galet
495*	viilupuu	Sperrholz	laminated wood	latté
496	pimeä, pimeämpi	dunkel, dunkler	dark, darker	sombre
497*	mutteri	Mutter	nut (screw)	écrou
498	mitata	messen	measure	calculer, mesurer
499	mitta, mittausväline	Messinstrument	measuring instrument	instrument de mesure
500	kuutamovalo	Mondlicht	moonlight	clair de lune
501	kansallislaulu	Nationalhymne	national anthem	hymne national
502	alas	hinunter, herunter	down	en bas
503	vähentää	vermindern	reduce	réduire
504	häivyttää	verdunkeln (Licht), dämpfen (Ton)	tone down (sound), fade out, dim (lights)	graduer
505	taso	Niveau	level	niveau
506*	nuottiteline	Notenpult	music stand	pupitre
507	nollajohdin	Null-Leiter	earth wire	neutre
508	nailonlanka	Nylonfaden	nylon thread	fil de nylon
509	hätävalo	Notbeleuchtung	emergency light	éclairage de sécurité
510	öljyvärit	Ölfarbe	oil paints	peinture à l'huile
511	muuntaja	Transformator	transformer	transformateur
512	vaihto	Wechsel	switch, change, gear change	commutation
513	ylös	auf	up	haut
514	esityslupa	Aufführungsrecht	performance rights	droits de représentations
515	tehtävä, tieto	Aufgabe	information	information
516*	ripustin	Hängering	batten clamp, C-clamp, G-clamp	anneau de suspente, anneau de plafond
517	pohjapiirros verhoista	Hängeplan	plan of flying facilities	conduite de service
518	kutsu	Einruf	call	appel
519	varastoida	lagern	store	emmagasiner

	Dansk	*Norsk*	*Svenska*	*Islenzka*
520	optone	opptone	tona upp	hækkun
521	orienteringslys	gålys	ledljus	leiðarljós
522	orkesterfoyer	musikkfoyer	musikerfoajé	setustofa hljóðfæraleikara
523*	orkestergrav	orkestergrav	orkesterdike	hljómsveitargryfja
524	orkesterlys	orkesterlys	orkesterljus	ljós á hljómsveit
525	orkestermedlem	orkestermedlem	orkestermedlem	hljóðfæraleikari í hljómsveit
526	ouverture	ouverture	uvertyr	forleikur
527	ovenlys	vertikallys	nedslagsljus	ofanljós
528	over	over	över	yfir
529	overbelastning	overbelastning	överbelastning	ofhleðsla
530	overenskomst	overenskomst	överenskommelse, avtal	samkomulag
531	overenskomstansat	timelønnsansatt	kollektivanställd	ráðinn félagsbundinni ráðningu
532	overlade	overlate	upplåta	veita, leyfa, gefa upp
533*	overlapning	overlapping	gå omlott	skiptigangur
534*	overligger	overligger	överbåge	efri sviðsbogi
535*	overlægte	topplekt, overlekt	överläkt, toppläkt, ovanläkt	efri slá
536	overrekvisitør	overrekvisitør, rekvisittforvalter	rekvisitaföreståndare, attributföreståndare	leikmunavörður, yfirmaður leikmunadeildar
537	overscenemester	sceneinspektør	sceninspektör	sviðsstjóri

	Suomeksi	Deutsch	English	Français
520	nostaa, voimistaa, kirkastaa	aufhellen (Licht), aufblenden (Ton)	bring up (lights or sound)	monter
521	opastinvalo	Leitlicht	stage guide light, stage pilot light	éclairage de sécurité
522	muusikkojen lämpiö	Stimmzimmer	musician's lounge	foyer des musiciens
523*	orkesterimonttu	Orchesterraum	orchestra pit	fosse d'orchestre
524	orkesterivalo	Orchesterlicht	orchestra light	éclairage pour l'orchestre
525	orkesterin jäsen	Orchestermusiker	member of the orchestra	musicien
526	alkusoitto	Ouverture	overture	ouverture
527	pystyvalo, ylävalo	Spielflächenlicht	top lighting	éclairage zénithal
528	yllä	über	over	sur
529	ylikuormitus	Überlastung	overload, overcharge	surcharge
530	sopimus	Übereinkommen, Verabredung	agreement	convention, accord
531	työehtosopimuksen alainen, järjestäytynyt	kollektivangestellt	unionized theatre staff, stage crew	salarié syndiqué
532	luovuttaa käyttöön	überlassen	make available	ouvrir
533*	ristiin, päällekkäinmenevä	überlappen	overlapping	recouvrement
534*	horisontti-, pyörötaustakisko	Horizontschiene	top cyc track	cerce supérieure
535*	huippurima, ylärima	Abschlusslatte, obere Latte	top batten	perche de tête
536	vastaava tarpeistonhoitaja	Requisitenmeister	property master, prop-man	chef-accessoiriste
537	näyttämön päällikkö	Bühnenmeister	stage manager	directeur de scène

	Dansk	Norsk	Svenska	Islenzka
538	overspille (lyd)	spille over (lyd)	överspela (ljud)	flytja af einu bandi till annars
539	overstyring	overstyring	överstyrning	ofkeyrsla
540	oversætte	oversette	översätta	þýða
541	overtone	overtone	överton	yfirtónn
542	pakkasse	pakkasse	packlåda	pakkdós
543*	parabollys	flomlys	parabolljus; flodljus	flóðljós
544	parallelforbundet	parallellkoblet	parallellkopplad	tengdur samsíða
545	parat (at være)	passing	passning	pössun, útbúnaður
546*	parket	parkett	parkett	salur, fremstu sæti í sal
547	part	part	part, kontrahent	aðili, samningsaðili
548*	parterre	bakre parkett, parterre	bakre parkett, bortre parkett	aftari hluti salarins
549	partitur	partitur	partitur	nótnaeintak
550	parykmager	parykkmaker	perukmakare	hárkollumeistari
551	parykværksted	parykkmaker-verksted	perukmakeri	hárkollugerð
552	pas på	se opp	se upp	líta upp gæta að sér
553	patinere	patinere	patinera	sýrubera
554	pause	pause	paus	hlé
555	personale	personale	personal	starfsfólk
556	personinstruktion	personinstruksjon	personinstruktion	persónuleikstjórn
557	pick-up	pickup	pickup	hljóðdós
558*	pind	syl	pryl, spetsborr	sýll, alur
559	plads	plass	plats	sæti
560	pladsantal	antall plasser	platsantal	sætafjöldi

Suomeksi	Deutsch	English	Français
538 äänittää päälle	überspielen	re-record	surimprimer
539 yliohjaus	Übersteuerung	over-modulating	surmodulation, saturation
540 kääntää	übersetzen	translate	traduire
541 yliääni	Oberton	overtone	son dominant
542 pakkilaatikko	Kiste	skip, crate, basket	malle, caisse
543* hajavalo	Flutlicht	flood light	réflecteur parabolique
544 rinnan kytketty	parallel geschaltet	connected in parallel	en parallèle
545 valmiinaolo, paikoillaanolo	auf Posten stehen	stand-by	attention
546* permanto	Parkett	stalls, pit stalls	fauteuils d'orchestre
547 sopimuspuoli	Partner	party	partie
548* takapermanto	Sitzparterre, hinteres Parkett	back half of the stalls	parterre
549 musiikkipääkirja	Partitur	score	partition
550 peruukin tekijä	Perückenmacher	wig-maker	perruquier
551 peruukkiverstas	Perückenmacherei	wig-maker's shop	atelier de perruquier
552 varoa	Achtung	look out, heads up	attention, tête
553 patinoida	patinieren	break down (scenery, costumes)	patiner
554 väliaika	Pause	interval	pause, entracte
555 henkilökunta	Personal	personnel	personnel
556 henkilöohjaus	Schauspieler- führung	coaching, private instruction	conduite de jeu des acteurs
557 äänirasia	Tonanschluss	pickup	pick-up
558* lävistin	Spitzbohrer	awl	poinçon
559 paikka	Platz	place, position	place
560 paikkaluku	Anzahl der Plätze	seating capacity	capacité de la salle

	Dansk	Norsk	Svenska	Islenzka
561*	plan over tilskuer-plads	plan over salongen	plan över salongen, salongsplan	teikning af salnum
562	plastik	plast	plast	plast
563	plastikfarve	plastmaling	plastfärg	plastmálning
564*	platform	plattform	plattform	pallur, svið
565*	podium	podium	podium	pallur
566	presenning	presenning	presenning	strigadúkur, segldúkur
567	presseafdeling	presseavdeling	pressavdelning	blaðadeild
568	pressechef	pressesjef	presschef	blaðafulltrúi
569	pressekonference	pressekonferanse	presskonferens	blaðamannafundur
570	pressemeddelelse	pressemelding	pressmeddelande	fréttatilkynning
571	primær strøm (strøm til dæmper)	primær strøm	primärström	heimtaug fyrir rafmagn
572	producent	produsent	producent	stjórnandi upptöku, framleiðandi
573	produktionsleder	produksjonsleder	projektledare, produktionsledare, produktionschef	framkvæmdastjóri sýninga
574	profilere	profilere	profilera	teikna sniðmynd
575*	profilering	fortykkelse	förtjockning	þykking
576*	profilprojektør	profilkaster	profilstrålkastare	hliðarkastari
577	program	programhefte	program	leikskrá
578	programartikel	programartikkel	programartikel	grein í leikskrá
579	programbillede	programbilde	programbild	mynd í leikskrá
580	programmateriale	programmateriale	programmaterial	efni í leikskrá

	Suomeksi	Deutsch	English	Français
561*	pohjapiirros katsomosta	Sitzplan	seating plan, plan of auditorium	plan des locations
562	muovi	Plaste	plastic	plastique
563	muoviväri	Plast-Farbe	plastic based paint, latex, polyvinyl paint	peinture vinylique
564*	koroke	Plattform	podium	plateforme
565*	koroke	Podium	podium	podium
566	pressu	Presenning	tarpaulin	bâche
567	lehdistöosasto	Presseabteilung	press department	service de presse
568	lehdistöpäällikkö	Pressereferent	press manager	directeur de service de presse
569	lehdistötilaisuus	Pressekonferenz	press conference	conférence de presse
570	lehdistötiedote	Pressemitteilung	press release	communiqué de presse
571	suora virta	Primärstrom	primary current (to intake room)	courant primaire
572	tuottaja	Produzent	producer	producteur
573	tuotantopäällikkö	Produktionsleiter	production manager	directeur de production
574	rajata (valo)	profilieren	shape, set in profile	profiler, découper
575*	vahvistus, tuki	Türdickung	padding, thickening	épaisseur
576*	pisteheitin, spotti	Verfolger	profile spotlight	projecteur à découpes
577	käsiohjelma	Programm	program	programme
578	käsiohjelman artikkeli	Programmartikel	article in the program	article dans le programme
579	käsiohjelman kuva	Programmbild	picture in the program	illustration dans le programme
580	käsiohjelman aineisto	Programmaterial	program material	documents dans le programme

	Dansk	Norsk	Svenska	Islenzka
581	projektion	projeksjon	projektion	myndvarp, myndlýsing
582	projektionsbillede	projeksjonsbilde	projektionsbild	skuggamynd
583*	projektionslærred	projeksjonsteppe	projektionsduk	sýningartjald
584*	projektor	projektor	projektions-apparat, projektor	sýningarvél
585*	projektør	lyskaster	strålkastare	ljóskastari
586*	proscenium	proscenium	proscenium	sviðsrammi, framsvið
587*	prosceniumsbro	prosceniumsbro	mantelbrygga	brú ofan sviðsops
588*	prosceniumskappe	prosceniumskappe	prosceniekappa	kappi yfir sviðsopi
589*	prosceniumstårn	prosceniumstårn	proscenietorn, belysningstorn	turn vid sviðsop
590*	prosceniums-åbning	prosceniums-åpning	proscenieöppning	sviðsop
591*	prosceniums-sætstykke	prosceniumsmaske	proscenieskärm	skermur við sviðsop
592	prøve	prøve	repetition	æfing
593	prøve	prøve	repetera	æfa
594	prøvesal	prøvesal	repetitionssal	æfingarsalur
595*	prøvesætstykke	maskeringsmaske	repetitionsskärm	æfingarskermur
596	publikum	publikum	publik	áhorfendur, áheyrendur
597	publikumsfoyer	publikumsfoyer	publikfoajé	samkomusalur leikhúsgesta
598	pult	pult	pult	ræðustóll
599	pultbelysning	pultlys	pulpetbelysning	borðlýsing
600	punktlys	punktlys	punktbelysning	punktljós
601*	punktløft	punkttrekk	punktlyft	krani í lofti

	Suomeksi	Deutsch	English	Français
581	projektiokuva	Projektion	projection	projection
582	heijastekuva	Projektionsbild	projection picture	image projetée
583*	heijastuskangas	Projektionsleinwand	projection screen	écran de projection
584*	projektori	Projektionsapparat	projector	appareil de projection
585*	valonheittäjä	Scheinwerfer	spotlight, spot	projecteur, spot
586*	etunäyttämö	Proszenium	proscenium	cadre de scène
587*	portaalisilta	Mantelbrücke	lighting bridge	passerelle d'avant-scène
588*	etunäyttämön kate	Proszeniumsdecke	teaser	draperie du manteau d'Arlequin
589*	näyttämöaukon sivurajoittimet	Beleuchtungsturm	perch, lighting portal, lighting tower	tour d'éclairage, portant d'avant-scène
590*	näyttämöaukko	Proszeniums-öffnung	proscenium opening, proscenium arch	ouverture de scène
591*	näyttämöaukon rajoitin	Proszeniumsblende	tormentor	châssis, montants du manteau d'Arlequin
592	harjoitus	Probe	rehearsal	répétition
593	harjoitella	proben, probieren	rehearse	répéter
594	harjoitushuone	Probebühne	rehersal room	salle de répétition
595*	harjoituskulissit	Probenblende	rehersal flat	paravent
596	yleisö	Zuschauer, Publikum	audience, public	public
597	yleisölämpiö	Foyer	lobby, foyer	foyer du public
598	kapellimestarin-koroke	Pult	podium	pupitre
599	pulpettivalaistus	Pultbeleuchtung	desk light	éclairage de pupitre
600	pistevalo	Punktstrahler	spotlight lighting	éclairage ponctuel
601*	pistenostin	Punktheber	brail line	équipe volante, équipe à mains

	Dansk	Norsk	Svenska	Islenzka
602*	pære	lyspære	glödlampa	ljósapera
603	påklæder	påkleder	påklädare	sá sem hjálpar leikurum i búninga, aðstoðarmaður við búningaskipti
604	påklæderske	påklederske	påkläderska	sú sem hjálpar leikurum í búninga, aðstoðarstúlka við búningaskipti
605*	ramme	fortykkelse	förtjockning	hleðslupallur
606	rat	ratt	ratt	stýri
607*	reb	tau	rep	snæri, reipi
608	receptionist	resepsjonsvakt	receptionist	dyravörður, starfsmaður í móttöku
609	redigere	redigere	redigera	klippa, ritstýra
610	reflektor	reflektor	reflektor	endurvarpari
611	refusere	refusere	refusera	hafna
612	regissør	inspisient	inspicient	sýningarstjóri
613	regissørplads	inspisientplass	inspicientplats	sæti sýningarstjóra
614	regissørsignalbord	inspisientpult	inspicientbord	merkjaborð sýningarstjóra
615	registerfelt	registerfelt	registerfält	tónsvið
616*	regnmaskine	regnmaskin	regnmaskin	regnvél

	Suomeksi	Deutsch	English	Français
602*	hehkulamppu	Glühlampe	bulb	lampe à incandescence
603	pukija	Ankleider	dresser	habilleur
604	pukija	Ankleiderin	dresser	habilleuse
605*	vahvistus, tuki	Dickung	padding, thickening	épaisseur
606	ohjauspyörä	Steuerrad	steering wheel	volant
607*	köysi	Strick	rope	corde
608	vahtimestari	Einlassdienst	receptionist	concierge
609	nauhanleikkaus	redigieren	edit	rédiger
610	heijastin	Reflektor	reflector	réflecteur
611	hylätä	ablehnen	refuse	refuser
612	järjestäjä	Inspizient	stage manager, repertory stage manager, assistant stage manager, A.S.M.	régisseur de scène, directeur de scène
613	järjestäjän paikka	Inspizientenplatz	prompt corner	place du régisseur de scène
614	järjestäjän pöytä	Inspizientenpult	prompt corner desk, stage manager's desk	tableau de régie de scène
615	säätökenttä	Schallgebiet	acoustic field	champ acoustique
616*	sadekone	Regenmaschine	rain machine	appareil à faire la pluie

Dansk	Norsk	Svenska	Islenzka
617 regnskive	regnplate	regnskiva	regnskífa
618 regulatör	stillverk, variator, regulator	ställverk, regulator	gangstillir, snúningshraðabreytir, afljafnari
619 regulatorboks	regulatorboks	regulatorskåp	mótstöðuskápur
620 regulatorværelse	regulatorrom	regulatorrum, ställverksrum	ljósaklefi, stjórnklefi
621 regulere	regulere	reglera	afmarka
622 rejse på turné	reise på turné	resa på turné, turnera	fara í leikferð
623 reklame kiertueelle	reklame	reklam	auglýsing, vöruauglýsingar
624 reklamemateriale	reklamemateriale	reklammaterial	auglýsingaefni
625 reklameomkostning	reklameomkostning	reklamkostnad	auglýsingakostnaður
626* rekvisit	rekvisitt	rekvisita, attribut	leikmunir
627 rekvisitbord	rekvisittbord	rekvisitabord	leikmunaborð
628 rekvisitkasse	rekvisittkasse	rekvisitalåda	leikmunakassi
629 rekvisitlager	rekvisittlager	rekvisitaförråd	leikmunageymsla
630 rekvisitliste	rekvisittliste	rekvisitalista	skrá yfir leikmuni
631 rekvisitmager	rekvisittmaker	attributör, attributmakare	leikmunasmiður
632 rekvisitværksted	rekvisittverksted	attributverkstad	leikmunasmiður,
633 rekvisitør	rekvisitør	rekvisitör	leikmunaverkstæði sá sem útvegar leikmuni
634 rekvisitørleder	overrekvisitør, rekvisittforvalter	rekvisitaföreståndare, attributföreståndare	leikmunavörður, yfirmaður leikmunadeildar

	Suomeksi	*Deutsch*	*English*	*Français*
617	sadelevy	Regenscheibe	rain effects wheel	disque pour effets de pluie
618	valaistuspöytä	Schalttafel	lighting console, lighting board	jeu d'orgue
619	himmenninkaappi	Schalttafelschrank	regulator box	armoire à gradateurs
620	valo-ohjaamo	Schaltraum	dimmer room, intake room	chambre à gradateurs
621	säätää	regeln	regulate, adjust	régler
622	matkustaa	gastieren, auf Tournee gehen	go on tour	faire une tournée
623	mainos	Anzeige, Reklame	advertisement, billing	publicité
624	mainosaineisto	Reklamematerial	advertising material	matériel de publicité
625	mainoskulut	Reklamekosten	advertising cost	coût de la publicité
626*	tarpeisto	Requisiten	property, props	accessoires
627	tarpeistopöytä	Requisitentisch	property table	table d'accessoires
628	tarpeistolaatikko	Requisitenlade	property skip, property basket	caisse d'accessoires
629	tarpeistovarasto	Requisitenraum	property room	magasin d'accessoires
630	tarpeistoluettelo	Requisitenliste	property list, prop list	conduite des accessoires
631	tarpeiston valmistaja	Requisiteur	property maker	fabricant d'accessoires
632	tarpeistoverstas	Requisitenwerkstatt	property shop	atelier d'accessoires
633	tarpeistonhoitaja	Requisiteur	property master, assistant stage manager, A.S.M. property mistress	accessoiriste
634	vastaava tarpeistonhoitaja	Requisitenmeister	property master, prop-man	chef-accessoiriste

	Dansk	Norsk	Svenska	Islenzka
635	repertoire	repertoar	repertoar	leikrit sem sýnd eru, verkefnaskrá
636	repetition (musik)	musikkprøve	musikrepetition	samæfing með hljómsveit, söngæfing
637	reserveudgang	reserveutgang	reservutgång	varaútgangur
638	retning	retning	riktning	átt, stefna
639*	retningsdiagram	retningsdiagram	riktningsschema	teikning af staðsetningu ljóstækja
640	retningsmikrofon	retningsmikrofon	riktad mikrofon	hljóðnemi, sem tekur aðeins úr ákveðnum áttum
641	rette ind (lys)	rette, stille (lys)	rikta (ljus)	beina
642	rettighed	rettighet	rättighet	flutningsréttur
643*	ringeklokke	ringeklokke	ringklocka	dyrabjalla
644	rollefordeling	rollefordeling	rollfördelning	hlutverkaskipting
645	rolleliste	rolleliste	rollista	hlutverkaskrá
646	rulle	rulle	rulla	rúlla
647*	rullegardinsbeslag	rullegardinbeslag	rullgardinsbeslag	—
648	rumekko	romekko	rumseko	herbergisbergmál
649*	rundhorisont	rundhorisont	rundhorisont	hringtjald
650	rydde af	rydde scenen	röja av	hreinsa, taka burt
651	rygning forbudt	røking forbudt	rökning förbjuden	reykingar bannaðar
652	rækkefølge (af scener)	rekkefølge	scenföljd	röð atriða
653	rød lygte	rød lykt	röd lykta	uppselt (rautt ljós)
654	røgdetektor	røkdetektor	rökdetektor	reykvari
655	røglem	røkluke	röklucka	reyklúga

	Suomeksi	Deutsch	English	Français
635	ohjelmisto	Spielplan, Repertoire	repertoire, repertory	répertoire
636	musiikkiharjoitus	Musikprobe	musical rehearsal	répétition de musique
637	varauloskäytävä	Notausgang	emergency exit	porte de secours
638	suunta	Richtung	direction	direction
639*	valaistussuunnitelma, valaistusluonnos	Richtungsschema	lighting plan, lighting plot	plan d'éclairage, conduite d'éclairage
640	suuntamikrofoni	Richtungsmikrofon	directional microphone, directional mike	micro directionnel
641	suunnata (valo)	richten (Licht)	direct, angle, throw (beam of a lamp)	orienter (lumière)
642	oikeudet	Aufführungsrecht	rights, copyright	droits
643*	soittokello	Klingel	alarm bell, bell	sonnette
644	roolijako	Besetzung	casting	distribution
645	osaluettelo	Rollenliste	cast list	liste de distribution
646	kierittää	rollen	roll	rouler
647*	kierrekaihtimen kiinnike	Rouleaubeschlag	blind backet	crochets pour stores suédois
648	huoneen kaiku	Zimmerecho	acoustical quality of a room	qualité acoustique d'une pièce
649*	pyöröhorisontti	Rundhorizont	cyclorama, cyc	cyclorama, panorama
650	raivata pois	abräumen	strike, clear	déblayer
651	tupakointi kielletty	Rauchen verboten	no smoking	défense de fumer
652	kohtausjärjestys	Szenenfolge	scene order, sequence of scenes	conduite générale
653	punainen lyhty	Rotlicht	red light	lumière rouge, lanterne rouge
654	savuilmaisin	Rauchdetektor	smoke detector	détecteur de fumée
655	savuluukku	Rauchklappe	smoke vent, sky light	cheminée d'appel

Dansk	Norsk	Svenska	Islenzka
656* rørbeslag	rørbeslag	rörfäste, rörmuff	rörfesting
657* rørtang	rørtang	rörtång	rörtöng
658* sadelgjord	salgjord	sadelgjord	hnakkgjörð
659 salgspris	salgspris	försäljningspris	söluverð
660 salshøjttaler	salonghøyttaler	salongshögtalare	hátalari í sal
661 salslys	salslys, salonglys	salongsljus	salarljós
662 salsprojektør	salskaster	salongsstrålkastare	kastari í sal
663* sandsæk	sandsekk	sandsäck	sandpoki
664* sav	sag	såg	sög
665* scene	scene	scen	svið, leiksvið, atriði
666 sceneangivelser	sceneanvisninger	scenanvisningar	sviðsleiðbeiningar, sviðsskýringar
667 scenearbejder	scenearbeider	scenarbetare, scentekniker	sviðsmaður
668 scenebillede	scenebilde	scenbild	sviðsmynd
669* sceneelevator	elevatorscene	sänkscen	lyftisvið (sem má hækka og lækka)
670 sceneelevator	sceneelevator	scenhiss	sviðslyfta
671* scenegalleri	scenegalleri, scenebro	scenbalkong	svalir á eða við svið
672 scenehøjttaler	scenehøyttaler	scenhögtalare	sviðshátalari
673* scenekælder	underscene	scenkällare	kjallari undir sviði
674* scenelem	sceneluke	scenlucka	sviðshleri
675 scenelydsforstærker	sceneforsterker	scenljuds- förstärkning	sviðshljóðamagnari

Suomeksi	Deutsch	English	Français
656* putken pidike, putken kiinnitin	Rohrmuffe	pipe clamp	collier de fixation
657* putkipihdit, putkitongit	Rohrzange	pipe wrench	pince à tube, pince à ronds
658* satulavyö	Sattelgurt	saddle girth webbing	sangle
659 myyntihinta	Verkaufspreis	sales price	prix de vente
660 katsomon kovaääninen	Saallautsprecher	front of house loudspeaker	haut-parleur de salle
661 katsomon valot	Saalbeleuchtung	house lights, auditorium lights	lumières de salle
662 katsomon valonheitin	Saalscheinwerfer	front of house lights	projecteur de salle
663* hiekkasäkki	Sandsack	sandbag	sac de sable
664* saha	Säge	saw	scie
665* näyttämö	Bühne	stage	scène
666 näyttämöohjeet	Spielanweisung, Bühnenordnung	stage directions	conduite de jeu des acteurs
667 näyttämömies	Bühnenarbeiter	stage hand, stage crew	machiniste
668 näyttämökuva	Bühnenbild	scene	jeu de décors
669* nostettavissa ja laskettavissa oleva näyttämö	Hebebühne	elevating stage, riser, lift	scène à ascenseur
670 näyttämöhissi	Bühnenfahrstuhl	stage elevator	ascenseur
671* näyttämöparveke	Arbeitsgalerie	fly gallery	passerelle de service
672 ohjelma- kovaääninen	Bühnenlautsprecher	stage loudspeaker	haut-parleur de scène
673* alanäyttämö	Unterbühne	under stage, trap room	dessous de scène
674* näyttämöluukku	Bodenklappe	stage trap	trappe centrale
675 (ohjelma-) tarkkailuvahvistin	Bühnentonverstär- kung	stage sound amplifier, auditorium amplifier	amplificateur de scène

	Dansk	Norsk	Svenska	Islenzka
676	scenemester	scenemester	scenmästare	leiksviðsstjóri
677	scenemusik	scenemusikk	scenmusik	tónlist á sviði
678*	sceneplan	sceneplan, plan	scenplan	sviðsuppdráttur, uppdráttur
679*	sceneplantegning	plantegning	scenplanritning	flatarmynd
680	sceneprojektør	scenekaster	scenstrålkastare	sviðskastari
681	sceneskift	sceneskift	scenbyte, omdeko-rering, scenväxling	sviðsskipti
682	scenetekniker	scenetekniker	scentekniker	sviðstæknimaður
683*	scenevogn	scenevogn	scenvagn	sviðsvagn
684*	sceneåbning	sceneåpning	scenöppning	sviðsop
685	scenograf	scenograf	scenograf	leikmyndateiknari
686	scenografi	scenografi	scenografi	leikmynd, leikmyndagerð
687	sekundær strøm (strøm fra dæmper)	sekundær strøm	sekundär ström	innanhúss-rafstraumur
688*	sele	sele	sele	sviftygi
689	sender	sender	sändare	sendir
690	seriekobling	seriekoblet	seriekopplad	raðtengdur
691*	sidebro	sidebro	sidobalkong	hliðarbrú, hliðarpallur
692*	sidedække	sideinndekning	sidointäckning	hliðarklæðning
693*	sideetage	sidebalkong	läktare	hliðarsvalir
694	sidelys	sidelys	sidljus	hliðarljós
695*	sidescene	sidescene	sidoscen	hliðarsvið
696*	sidetæppe	sidevinger	täcksida	klædd hlið

	Suomeksi	Deutsch	English	Français
676	näyttämömestari	Bühnenmeister	stage manager	chef-machiniste
677	näyttämömusiikki	Bühnenmusik	incidental music	musique de scène
678*	näyttämöntaso	Dekorationsplan	stage level	niveau de la scène
679*	näyttämön pohjapiirros	Bühnengrundriss	ground plan	plan au sol
680	näyttämön valonheitin	Bühnenschein-werfer	stage spotlight	projecteur de scène
681	lavastuksen vaihto, näyttämön vaihto	Umbau	scene change, set change	changement de décor
682	näyttämöteknikko	Bühnentechniker	stage hand, stage crew	machiniste
683*	näyttämövaunu	Bühnenwagen	truck	plateforme coulissante
684*	näyttämöaukko	Proszeniumsöffnung	proscenium opening	ouverture de scène
685	lavastaja	Bühnenbildner	set designer, scenic designer	décorateur
686	lavastus	Ausstattung	set design	décor
687	toisiovirta	Sekundärstrom	secondary current	courant secondaire
688*	nostolaitevarustus	Flugvorrichtung	harness	harnais
689	lähetin	Sender	transmitter	émetteur
690	sarjakytketty	in Serienschaltung	connected in series	branché en série, interconnecté
691*	sivunäyttämö	seitliche Arbeitsgalerie	side balcony, side gallery	balcons cour, balcons jardin
692*	sivukate	Seitenabdeckung	side masking	équipement des châssis de coulisses
693*	sivuparvi	Seitenrang	side balcony	balcons cour, balcons jardin
694	sivuvalo	Seitenlicht	side lighting	lumière latérale
695*	sivunäyttämö	Kulisse	wings, bay area	coulisse
696*	sivutila	Blende	wings, flats	châssis, pendrillon de coulisses

	Dansk	Norsk	Svenska	Islenzka
697	signal	tegn, signal	tecken	merki, tákn
698	signalkontakt	signalknapp	signalknapp	merkjahnappur, viðvörunartakki
699	signallampe	signallampe	signallampa	merkjaljós
700	signaltavle	signaltavle	siffertablå	tölulisti, minnislisti med tölum (t.d. fyrir sýningarstjóra)
701	signalør	signallør (person som gir signal)	momentgivare (person som ger moment och varningar)	sá sem gefur merki um að komið sé að einhverju atriði (einhverri breytingu)
702	signalørpult	signallørpult	inspicientbord, momentgivare (apparat)	stjórnborð
703	sigte ind (lys)	stille, rette (lys)	rikta (ljus)	beina (ljós)
704	sigtelinie	siktelinje	siktlinje	sjónlína
705	sikkerhedsgitter	sikkerhetsgitter	skyddsgaller	öryggisgrind
706	sikkerhedskæde	sikkerhetskjede	säkerhetskedja	öriggiskeðja
707	sikkerhedsline	sikkerhetstau	säkerhetslina	öryggislína
708*	sikkerhedsnål	sikkerhetsnål	säkerhetsnål	öryggisnæla, öryggisnál
709*	sikkerhedsrækværk	sikkerhetsrekkverk	skyddsräcke	öryggisgrindverk
710*	sikring	sikring, propp	säkring, propp	öryggi
711*	sikringsskab	sikringsskap	proppskåp	öryggisskápur
712*	simultanscene	simultanscene	simultanscen	fjölsvið
713*	sjækkel	sjakkel	schackel	baula
714*	skabelon	sjablon	schablon	snið, skapalón
715	skarp	skarp	skarp	skerpa

82

	Suomeksi	Deutsch	English	Français
697	merkki	Zeichen, Signal	signal, cue	signe
698	soittonappi	Signalknopf	cue button	commutateur de signal lumineux
699	merkkilamppu	Signallampe	cue light	signal lumineux
700	numerotaulukko	Signaltafel	cue light panel	panneau à signaux lumineux
701	henkilö joka huolehtii esityksen sujumisesta (antaa tarvittavat merkit), järjestäjä	Inspizient	stage manager (who cues)	régisseur général
702	merkinantopöytä, järjestäjänpöytä	Signaltafel	cue-board	console à signaux lumineux
703	suunnata (valo)	einrichten (Licht)	direct, angle, throw (beam of a lamp)	orienter (lumière)
704	tähtäysviiva	Visierlinie	sightline	ligne de visibilité
705	suojaristikko	Schutzgitter	protective netting, protective grid	grille
706	varmuusketju	Sicherheitskette	security chain	chaîne de sécurité
707	varmuusköysi	Sicherheits- aufhängung	safety line	chaîne de sûreté
708*	hakaneula	Sicherheitsnadel	safety pin	épingle de sûreté, épingle à nourrice
709*	suojakaide	Schutzgeländer	safety line	garde-corps
710*	varoke	Sicherung	fuse	fusible
711*	sulakekaappi	Sicherungskasten	fuse box	boîte de fusibles, casier de fusibles
712*	simultaani- näyttämö	Simultanbühne	simultaneous stage, montage	scène simultanée
713*	šakkeli	Schäkel	U-bolt	manille
714*	kaava	Schablone	stencil	pochoir
715	tarkka, terävä	scharf	in focus	aigu

	Dansk	Norsk	Svenska	Islenzka
716	skattefrihed	skattefrihet, skattefritak	skattebefrielse	skattfrelsi, undanþága frá skatti
717*	skiftenøgle	skiftenøkkel	skiftnyckel	skiptilykill
718	skifter	skifter, gear	växel	skiptir
719*	skitse	skisse	skiss	riss, skissa, uppkast
720*	skrue	skrue	skruv	skrúfa
721*	skruekrog	vinkelskrue	skruvkrok	krókskrúfa
722*	skruetrækker	skrutrekker	skruvmejsel	skrúfjárn
723*	skruetvinger	skrutvinge	skruvtving	þvinga
724	skrædder	skredder	skräddare	klæðskeri
725	skræddersal	systue	kostymateljé	búningasaumastofa
726*	skråplan	skråplan	sluttande plan	hallandi flötur
727	skuespil	skuespill	skådespel	sjónleikur
728	skuespiller	skuespiller	skådespelare	leikari
729	skuespillerfoyer	skuespillerfoyer	artistfoajé	almenningur, setustofa leikara
730*	skydemodstand	skyvemotstand	skjutmotstånd	færiviðnám
731	skyprojektor	skyapparat	molnprojektor	skýjamyndvarpa
732	skære ned	minske	minska	minnka
733	slettehoved	raderhode	raderhuvud	afþurrkunarhöfuð
734	slukke	slukke	släcka	slökkva
735	slutforstærker	sluttforsterker	slutförstärkare, slutsteg	lokastig
736	slutreplik	sluttreplikk	slutreplik	lokatilsvar, síðasta setning
737	slutte	slutte, stoppe	sluta	hætta
738	slå i (søm)	spikre	spika	negla
739*	slør	slør	slöja	grisjutjald
740	smedeværksted	smie	smidesverkstad	smiðja
741	sminkør	sminkør	maskör, sminkör	farðari, "sminkari"
742	sminke	sminke	sminka	farða

	Suomeksi	Deutsch	English	Français
716	verovapautus	Steuerbefreiung	tax exemption	exemption d'impôts
717*	jakoavain	Schrauben-schlüssel	spanner, wrench	clé à molette
718	vaihde	Schaltung	gear	changement
719*	luonnos	Skizze	sketch	esquisse
720*	ruuvi	Schraube	screw	vis
721*	ruuvikoukku	Schraubstock	screw hook	piton ouvert
722*	ruuvimeisseli	Schraubenzieher	screw-driver	tournevis
723*	ruuvipuristin	Schraubzwinge	screw clamp	serre-joint
724	räätäli	Schneider	tailor	costumier
725	puvusto	Schneiderei	wardrobe	atelier de costumes
726*	vinonäyttämö	Schräge	ramp, raked stage	plan incliné
727	näytelmä	Schauspiel	spectacle, drama	spectacle, pièce
728	näyttelijä	Schauspieler	actor	acteur, actrice
729	taiteilijalämpiö	Konversations-zimmer	greenroom	foyer des artistes
730*	liukuvastus	Schiebewiderstand	dimmer	rhéostat
731	pilviprojektori	Wolkenprojektor	cloud projector	appareil à nuages
732	vähentää	vermindern	reduce	réduire
733	(nauhurin) poisto-pää	Löschkopf	eraser head	tête d'effacement
734	sammuttaa	ausschalten	turn off, switch off	couper
735	päätevahvistin, pääteaste	Schlussverstärker	amplifier step	étage final d'amplification
736	loppurepliikki	Schlusswort	curtain line	mot de la fin
737	lopettaa	schliessen, enden	break, finish	finir
738	naulata	nageln	nail	clouer
739*	huntu, tylli	Schleier	veil	voile
740	metallipaja	Schmiedewerkstatt	metal work shop, blacksmith's	atelier de forge
741	maskeeraaja	Maskenbildner	make-up man	maquilleur, maquilleuse
742	maskeerata	schminken	make-up	maquiller

Dansk	Norsk	Svenska	Islenzka
743 snedker	snekker	snickare	smiður
744 snedkerværksted	snekkerverksted	snickarverkstad, snickeri	smíðaverkstæði
745 sneskive	snøskive	snöskiva	snjóskífa
746* snesoffit	snømaskin	snömaskin	snjóvél
747* snoreloft	snorloft	scenvind, tågvind	sviðsloft
748* snorelofsblok	snorloftsblokk	tågvindsblock, brytskiva	blökk í snúrulofti
749* snoretræk	trækk	lingång, drag	kaðlagangur
750* soffit	suffit, tak	suffit, tak	málaður dekkingarborði, þak
751 solodanser	solodanser	premiärdansör	aðaldansari
752 solodanserinde	solodanserinne	premiärdansös	aðaldansmær
753 specialfilter	spesialfilter	specialfilter	sérgerður lappi
754 spedition	spedisjon	spedition	vöruflutningar
755 speditionsfirma	spedisjonsfirma	speditionsfirma	vöruflutningafyrirtæki
756 spejl	speil	spegel	spegill
757 spil	spill	spel	leikur, spil
758* spil	vinsj	vinsch	spil, vinda
759 spildlys	spillys, strølys	spilljus	villiljós
760 spille (en rolle)	spille (en rolle)	spela (en roll)	leika (hlutverk)
761 spilledag	spilledag	speldag	sýningardagur
762 spillelys	spillelys	spelljus	leikljós
763 spilleplads	spilleplass	spelplats	leiksvæði, staður sem leikið er á, flötur
764 spilletid	spilletid	speltid	leiktími

	Suomeksi	Deutsch	English	Français
743	puuseppä	Theatertischler	carpenter	machiniste
744	puusepänverstas	Tischlerei	carpenter's work shop	menuiserie
745	lumilevy	Schneescheibe	snow effects wheel	disque pour effets de neige
746*	lumikone	Schneemaschine	snow cradle	appareil à faire de la neige
747*	näyttämöullakko, köysiullakko	Schnürboden	flies	cintre
748*	köysipyörä	Laufrolle	pulley block, capstan	mère de famille
749*	köysistö	Schnürzug	fly facilities	système de rappel de la porteuse
750*	yläkate, katto	Soffitte	border (top masking)	frise
751	ensitanssija	Solotänzer	male lead dancer	premier danseur
752	ensitanssijatar	Solotänzerin	prima ballerina	première danseuse
753	erikoissuodatin	Spezialfilter	special filter	filtre spécial
754	huolinta	Spedition	forwarding	expédition
755	huolintaliike	Speditionsfirma	forwarding agency	société de transports
756	peili	Spiegel	mirror	glace
757	peli, näytteleminen, soitto	Spiel, Vorstellung	acting, performance	jeu
758*	nosturi	Winde	winch	treuil
759	vuotovalo	Nebenlicht	spill light	lumière parasite
760	näytellä	darstellen	play (a roll), act	jouer
761	näytäntöpäivä	Spieltag	day of performance	jour de représentation
762	esitysvalaistus	Spiellicht	acting area lights	éclairage de l'aire de jeu
763	esityspaikka	Spielfläche	acting area	aire de jeu
764	esitysaika	Spielzeit	playing time	durée de la représentation

	Dansk	*Norsk*	*Svenska*	*Islenzka*
765	spredefilter	frostfilter	spritt sken, spridsken	dreifibirta
766	spredelys	full spredning (lys)	spridsken, spritt sken	sem dreifðust ljós, sem viðust ljós
767*	spredende lys	flomlys	flodljus	flóðljós
768	sprinkler	sprinkler	sprinkler	úðari
769*	sprøjtepistol	sprøytepistol	sprutpistol	málningarsprauta
770	spænding	spenning	spänning	spenna
771*	spånplade	sponplate	spånplatta	spónaplata
772	stabel	stabel	trave	stafli
773	stansemaskine	stansemaskin	stansmaskin	gatari, mótunarvél
774*	stativ	stativ	stativ	grind, undirstaða
775	statist	statist	statist	aukaleikari
776*	stift	stift, tacks	nubb	smánagli, naglatittur
777*	stige	stige	stege	stigi
778*	stikdåse	stikkontakt	vägguttag	fjöltengi
779*	stikhængsel	splinthengsel	sprintgångjärn	fleygajárn
780*	stikkel	splint	sprint	pinni, járnfleygur
781	stikord	stikkord	stickreplik, stickord	stikkorð
782*	stikprop	støpsel	stickpropp	rafkló
783	stilhed	stille	tystnad	þögn
784	stilisere	stilisere	stilisera	stílfæra
785	stille op	stille opp	ställa upp	setja upp, gefa kost á sér
786	stilling	stilling	ställning	staða
787*	stilling	platting	praktikabel	pallur
788	stof	tøy	tyg	klæði
789	stolerække	benkerad	bänkrad	bekkjaröð
790	strejflys	streiflys	strykljus, släpljus	skelliljós
791*	strop	nejetråd	najlina	festilína
792*	strygejern	strykejern	strykjärn	straujárn
793	strække	strekke	sträcka	teygja

	Suomeksi	Deutsch	English	Français
765	hajasuodatin	Streulicht	flooded spotlight	écran diffusant
766	hajasuodatin	Streulicht	flooded spotlight, fully spread beam	lumière diffusée
767*	hajavalo	Flutlicht	floodlight	réflecteur
768	suihkusammutin	Regenvorrichtung	sprinkler	rideau d'eau
769*	ruiskupistooli	Spritzpistole	spray gun	pistolet
770	jännite	Spannung	tension, voltage	voltage
771*	lastulevy	Spanplatte	chipboard	aggloméré
772	pino	Stapel	pile	tas
773	stanssikone	Stanzmaschine	key punch	machine à estamper
774	jalusta	Stativ	stand, tripod	support
775	avustaja	Komparse, Statist	walk-on, extra	figurant
776*	nupi	Nägelchen, Stift	tack	pointe, broquette
777*	tikkaat	Leiter	ladder	échelle
778*	seinäpistorasia	Steckkontakt	wall contact (electric)	prise de courant
779*	sokkasarana	Steckscharnier	loose-pin hinge	couplet
780*	sokkanaula	Splint	hinge pin	goupille
781	iskurepliikki	Stichwort	cueline, cue	signal
782*	pistotulppa	Stecker	plug-fuse	fiche-banane
783	hiljaisuus	Ruhe	silence	silence
784	tyylitellä	stilisieren	stylize	styliser
785	pystyttää	aufbauen	set the stage, build the set	planter
786	teline	Stellung	rostrum, stand	position
787*	välikaapeli	Praktikabel, Podest	rostrum	praticable
788	kangas	Gewebe	cloth, material	tissu
789	penkkirivi	Stuhlreihe	row of seats	rangée de fauteuils
790	sivuvalo	Streiflicht	side lighting	lumière rasante
791*	sidepaula	Laschung, Strop	extra short rope	gabillot
792*	silitysrauta	Bügeleisen	iron	fer à repasser
793	venyttää	spannen, dehnen	stretch	tendre

	Dansk	Norsk	Svenska	Islenzka
794	strøm	strøm	ström	straumur
795	strømafbryder	bryter	strömbrytare	straumrofi, slökkvari
796*	stuedekoration	stuedekorasjon	rumsdekoration	innanhússviðsmynd
797	stuve sammen	stable, stue	stuva (lasta)	raða upp, stafla
798	stykke	teaterstykke	pjäs, stycke	leikrit
799	styre ind (lys)	sette, rette (lys)	rikta (ljus), sätta ljus	beina (ljós)
800*	styreskinne	styreskinne	styrskena, gejd	stýrisbraut, rennibraut
801	støjforvrængning	forvrengning	distorsion	truflun
802	støvsuger	støvsuger	dammsugare	ryksuga
803	ståpladser	ståplasser	ståplatser	stæði
804	sufflere	sufflere	sufflera	hvísla
805	sufflør	sufflør	sufflör	hvíslari
806	sufflørens plads	sufflørens plass	sufflörplats	sæti hvíslara
807*	sufflørkasse	sufflørkasse	sufflörlucka	hvíslaralúga
808	sufflørlys	sufflørlys	sufflörljus	hvíslaraljós
809	suffløse	suffløse	sufflös	hvíslari
810	sus	sus, brus	brus	suð
811	svag, svagere	svak, svakere	svag, svagare	daufur, daufari, veikur, veikari
812	syerske	syerske	sömmerska	saumakona
813*	syl	syl	pryl, spetsborr	sýll, alur
814	systue	systue	syateljé	saumastofa
815	sænke	senke	sänka	lækka, sökkva, deyfa
816	sænke (ned)	senke, fire (ned)	fira (ned), hala (ned)	draga (niður)
817*	sætstang	scenestøtte	stötta	stoð, stýfa
818*	sætstykke	settstykke	sättstycke	fleki
819	sølje	søyle	pelare	súla

	Suomeksi	Deutsch	English	Français
794	virta	Stromkreis	electric current, power	courant électrique
795	virrankatkaisija	Schalter	circuit breaker, switch	interrupteur
796*	huonelavastus	Zimmer-dekoration	box set	décor de chambre, décor de pièce
797	pinota	schichten	pack, stow	entasser
798	näytelmä	Theaterstück	play	pièce de théâtre
799	suunnata (valo)	einrichten (Licht)	direct, angle, throw (beam of a lamp)	diriger, orienter (lumière)
800*	esirippukisko	Vorhangzug-stange	curtain track	guide de contrepoids
801	vääristymä	Verzerrung	distortion	distorsion
802	pölyimuri	Staubsauger	vacuum-cleaner	aspirateur
803	seisomapaikkoja	Stehplätze	standing room	complet
804	kuiskata	soufflieren	prompt	souffler
805	kuiskaaja	Souffleur	prompter	souffleur
806	kuiskaajan paikka	Souffleurecke	prompter's position, prompter's box	coin du souffleur
807*	kuiskaajan luukku	Souffleurkasten	prompter's box	trou du souffleur
808	kuiskaajan valo	Souffleurlicht	prompter's light	éclairage du souffleur
809	kuiskaaja	Souffleuse	prompter	souffleuse
810	kohina	Geräusch	noise	bruit
811	heikko, heikompi	leise, leiser	weak, weaker	faible
812	ompelija	Schneiderin	seamstress	costumière
813*	lävistin	Stechbohrer	awl	poinçon
814	ompelimo	Damenschneiderei	wardrobe	atelier de couture
815	laskea	verdunkeln, Licht einziehen	lower, fade (intensity of light)	charger, baisser
816	laskea	dämpfen (Licht)	lower, drop	laisser filer
817*	tuki	Stütze	stage brace	béquille
818*	lavasteyksikkö	Versatzstück	piece of scenery	élément de décor
819	pilari	Säule	pillar, column	colonne

	Dansk	Norsk	Svenska	Islenzka
820	søm	søm	söm	saumur
821*	søm	spiker	spik	nagli
822	sømme fast	spikre	spika	negla
823	tage af	minske	minska	minnka
824	taglem	takluke	taklucka	þaklúga
825*	talje	talje	talja	línubraut
826*	talje-blok	trekkblokk	dragblock	blökk á línubraut
827	tapetserer	tapetserer	tapetserare	bólstrari
828	tapetserlærred	tapeterstoff	tapetserarväv	bólstrunardúkur
829	teaterbureau	teaterkontor	teaterkansli	skrifstofa leik-hússins, skrifstofa leikhússtjóra
830	teaterchef	teatersjef	teaterchef	leikhússtjóri
831	teaterforlag	teaterforlag	teaterförlag	leikritaforlag, leikritamiðlun
832	teatermaler	dekorasjonsmaler	dekormålare	leikmyndamálari
833	teatersekretær	teatersekretær	teatersekreterare	leikhúsritari
834	teaterstykke	teaterstykke	teaterstycke, pjäs	leikrit
835	teaterside	teaterside	teatersida	leikhússíða
836*	tegning	tegning	ritning	teikning
837	teknisk chef	teknisk sjef	teknisk chef	tæknistjóri, yfirmaður
838	teknisk prøve	teknisk prøve	teknisk repetition	tæknileg æfing
839*	tilskuerplads	salong	salong	salur, áhorfendasalur
840	teleslynge	døveanlegg	hörslinga	símaleiðsla

	Suomeksi	Deutsch	English	Français
820	ommel, sauma	Naht	seam	couture
821*	naula	Nagel	nail	clou
822	naulata	nageln	nail	clouer
823	vähentää	vermindern, reduzieren	reduce	réduire
824	kattoluukku	Dachluke	hatch, skylight, roof trap	trappe de lanterneau
825*	talja	Talje	batten flyline (counter weighted), hemp line (unweighted)	poulie
826*	vetoväkipyörä	Block, Kloben	pulley block, capstan	caïorn
827	verhoilija	Tapezierer	upholster	tapissier
828	kangastapetti	Tapezierstoff	upholstering cloth	tapisserie
829	teatterin kanslia	Theaterbüro	theatre management office, reception	bureau du directeur
830	teatterinjohtaja	Intendant	theatre director	directeur artistique
831	näytelmätoimisto	Theaterverlag	theatrical publisher	maison d'édition de théâtre
832	lavastusmaalari	Bühnenmaler	scenic painter	peintre en décors
833	teatterisihteeri	Theatersekretär	theatre secretary	secrétaire général
834	näytelmä	Theaterstück	play	pièce de théâtre
835	teatterisivu	Theaterseite, Kulturseite	theatre page	page de scénario
836*	piirustus	Zeichnung	drawing, plan	plan de construction
837	tekninen johtaja	technischer Direktor	technical director	directeur technique
838	tekninen harjoitus	technische Probe	technical rehearsal	répétition technique
839*	katsomo	Zuschauerraum	front of house, F.O.H., auditorium	salle
840	kuuloke	Schwerhörigen-anlage	sound loop	boucle magnétique

	Dansk	Norsk	Svenska	Islenzka
841	tilknytte	tilkoble	ansluta till	festa við, sameina, tengja
842	tilladelse	tillatelse	tillstånd	leyfi
843	tilslutte	koble sammen	ansluta till	festa við,sameina, tengja
844	toldbehandlinger	tollbehandlinger	tullhandlingar	tollskjöl
845	tomspole	tomspole	tomspole	auð spóla
846*	tommestok	meterstokk	tumstock	tommustokkur
847	tone (ned, op, ud)	tone (ned, opp, ut)	tona (ner, upp, ut)	deyfa, lækka, styrkja, hækka, deyja út
848*	tordenplade	tordenapparat	åskplåt	þrumuplata
849	totallys	flomlys	öppet flodljus	opið flóðljós
850*	tov	trekkline	draglina	toglína
851	tovbremse	taubrems	linbroms	línuhemill
852*	tovlås	taulås	linlås	línulás
853	transformator	transformator	transformator	straumbreytir
854	transparent	transparent	transparang	gegnumlýst tjald
855	transport	transport	transport	flutningur
856*	trappe	trapp	trappa	tröppur, stigi
857*	trappeafsats	trappeavsats	trappavsats	stigapallur
858*	trin	tribune	gradäng	þrep, stallur, sætaupphækkun
859*	tri-stik	fordelingsboks	groda, grenuttag	fjöltengi
860	trup	tropp	trupp	leikhópur, sýningarflokkur
861*	trykknap	trykk-knapp	tryckknapp	hnappur

	Suomeksi	Deutsch	English	Français
841	liittää	verbinden, anschliessen	connect	brancher
842	lupa	Zulassung	permission, permit	autorisation
843	liittää	verbinden, Anschluss herstellen	connect	brancher
844	tulliasiakirjat	Zollakte	customs papers	documents de douane
845	tyhjä kela	Leerspule	take-up reel empty reel,	bobine vide
846*	nivelmitta	Zollstock	carpenter's rule	mètre, double mètre
847	himmentää, nostaa, hitaasti, häivyttää	einziehen, aufhellen	tone (down, out), fade (down, up, out)	shunter, baisser le volume
848*	ukkoslevy	Donnerblech	thunder sheet	tôle
849	hajavalo	offenes Flutlicht	open flood light	casserole
850*	vetonuora	Ziehleine	breast line	fil de rappel
851	köysijarru	Seilbremse	fly line break (on winch)	frein d'équipe
852*	köysilukko	Zugleinenbremse	fly line lock	frein d'équipe
853	muuntaja	Transformator	transformer	transformateur
854	kuultokuva	Transparent	transparent	transparent
855	kuljetus	Transport	transport, transportation	transport
856*	rappu	Treppe	stairs, set of treads	escalier
857*	porrastasanne	Treppenabsatz	stair landing	palier
858*	vinokatsomo	Tribünenstufe	tiers, block of tiers	gradin
859*	lattiapistorasia, sammakko	Steckdose	electric plugboard	boîte de raccordement
860	seurue	Truppe	company, troupe	troupe, compagnie
861*	painonappi	Druckknopf	push-button	bouton-pression de commutateur

	Dansk	Norsk	Svenska	Islenzka
862*	trykknap (sysager)	trykknapp (sysak)	tryckknapp (sytillbehör)	smella
863	trykning	trykking	tryckning	prentun
864*	trykte kredsløb	trykte kretser	tryckta kretsar	prentaðar rásir
865*	træ	treverk	trävirke	timbur
866*	trækblok	trekkblokk	dragblock	togblökk
867	trække	dra	dra	draga
868*	tubus-tragt	strølystubus	tub (för strål-kastare)	túba, rör
869	turné	turné	turné	leikför, leikferðalag
870	turnéselskab	turnéselskap	turnésällskap	ferðaleikflokkur
871	tv-modtager	tv-mottaker	tv-mottagare	sjónvarpstæki
872	tværsnit	tverrseksjon	tvärsektion	þverskurðarmynd
873*	tværtræ	tverrtre	tvärslå	þverslá
874	tykkelse	tykkelse	tjocklek	þykkt, sverleiki
875	tænde	tenne	tända	kveikja
876*	tæppe	teppe	ridå	tjald
877*	tæppebane	teppebane	ridåbana	tjaldrennibraut
878*	tæppelægte	teppelekt	fondläkt, rå	bakveggslisti
879	tæppesignal	teppesignal	ridåsignal	fortjaldsmerki
880*	tæppestang	teppestang	rå, fondläkt	rá
881*	tæppetræk	teppetrekk	ridådrag	frádráttarkaðall
882*	tæppevogn	teppevogn	ridåvagn	tjaldsleði
883	tøj	tøy	tyg	klæði
884	udgangseffekt	utgangseffekt	utgångseffekt	styrkleiki

Suomeksi	Deutsch	English	Français
862* neppari	Drucknopf (Nähzeug)	poppers	bouton-pression
863 paino	Druck	printing	impression
864* painetut piirit	gedruckter Stromkreis	printed circuit	circuit imprimé
865* puutavara	Holz	wood, planks	bois, bois de charpente
866* vetoväkipyörä	Spill, Winde	capstan, pulley block	caïorn
867 vetää	ziehen	pull	tirer
868* putki	Scheinwerfertubus	funnel	pareflux
869 kiertue	Tournee	tour	tournée
870 kiertueseurue	Truppe	touring company	troupe itinérante
871 tv-vastaanotin	Fernsehapparat	tv-monitor	monitor de tv
872 poikkileikkaus	Querschnitt	section, crossection, elevation	coupe transversale
873* poikkipiena	Versteifungsleiste	crosspiece, crossbar	traverse
874 paksuus	Einsatz	gauge, thickness	caisson
875 sytyttää	einschalten	light, turn on	allumer
876* esiripu	Vorhang	curtain, front of house tabs, drapes	rideau
877* esirippukisko	Vorhangschiene	house tabs track	patience
878* taustatanko	Doublierstange	back cloth batten	battant, perche
879 esiripun avaamis-tai sulkemismerkki	Vorhangsignal	house tabs cue	signal sonore pour rideau
880* raja	Zugstange	fly-bar, batten	porteuse
881* esiripun vetoköydet	Vorhangzug, Leine	line on front of house tabs	fil de rappel du rideau d'avant-scène
882* liukuvaunu, liukukelkka	Vorhangwagen	bobbins on a runner	anneau de coulisseau
883 kangas	Gewebe, Stoff	cloth, material	tissu
884 teho	Ausgangseffekt	amplifier capacity	effet de sortie, capacité d'amplification

97

	Dansk	Norsk	Svenska	Islenzka
885	udgangsregulering	utgangsregulering	utgångsregel	útgangsloki
886	udgangstrin	sluttforsterker	slutsteg	lokastig
887	udsolgt	utsolgt	utsålt	uppselt
888	udtag	uttak	uttag	innstunga
889	udtryk	uttrykk	uttryck	orð, orðbragð, tjáning
890	udvide	utvide	vidga	víkka
891*	underlægte	underlekt	underläkt	neðri slá
892*	understang	understang	underläkt	neðri listi
893	uskarp	uskarp	oskarp	óskýr
894	vagtmester	vaktmester	vaktmästare	dyravörður starfsmaður í móttöku
895	varmebestandig	varmebestandig	värmebeständig	hitaþolinn
896	varmedetektor	varmedetektor	värmedetektor	hitavari
897	varmt lys	varmt lys	varmt ljus	hlýtt ljós
898	varsel	varsel	varning	viðvörun
899	vekselstrøm (~)	vekselstrøm (~)	växelström (~)	riðstraumur (~)
900	venstre	venstre	vänster	vinstri
901	ventil	ventil	ventil, utlösnings-mekanism	ventill, loki
902	ventilation	ventilasjon	ventilation	loftkæling
903	ventilator	vifte, ventilator	fläkt	vifta
904*	vertikal projektør	vertikalkaster, vertikaler	vertikalstrål-kastare	kastari sem lýsir lóðrétt
905	videobånd	videobånd	videoband	myndsegulband
906	videobåndspiller	videobåndopptaker	videobandspelare	myndsegul-bandstæki

	Suomeksi	Deutsch	English	Français
885	päähimmennin	Ausgangsregel	master dimmer, master volume control	contrôle de volume général
886	loppuvaihe	Endstufe	amplifier step	étage final d'amplification
887	loppuunmyyty	ausverkauft	sold out	complet
888	väliotto	Stecker	outlet, plug	fiche
889	ilmaisu	Ausdruck	expression, manifestation	expression
890	laajentaa	erweitern	expand, widen	élargir
891*	alarima	Beschwerungs-stange	bottom batten	battant de pied
892*	alarima	Unterlatte	roller	battant de tube
893	epätarkka	unscharf	out of focus	flou
894	vahtimestari	Platzanweiser	stage door man	ouvreuse
895	lämmönkestävä	hitzebeständig	heat resistant	résistant à la chaleur
896	lämpöilmaisin	Wärmeregler	heat detector	détecteur de chaleur
897	lämmin valo	warmes Licht	warm light	lumière chaude
898	varoitus	Warnung	warning	avertissement
899	vaihtovirta (∼)	Wechselstrom (∼)	alternating current, A.C. (∼)	courant alternatif (∼)
900	vasen	links	left	gauche, côté jardin
901	hätälaukaisin	Ventil, Auslösungs-mechanismus	release mechanism, vent	clapet, mécanisme de mise en œuvre
902	tuuletus	Ventilation	ventilation	ventilation
903	tuuletin	Ventilator	fan	ventilateur
904*	pystyvalonheitin	Vertikalschein-werfer	vertical spot	projecteur vertical
905	videonauha	Videoband	video tape	bande vidéo
906	videonauhuri	Videobandspieler	video tape machine	magnétophone vidéo

	Dansk	Norsk	Svenska	Islenzka
907*	vindmaskine	vindmaskin	vindmaskin	stormvél
908*	vindue	vindu	fönster	gluggi
909*	vinduesbue	vindusramme	fönsterbåge	gluggabogi
910*	vindueskarm	vinduskarm	fönsterkarm	gluggakista
911*	vingemøtrik	vingemutter	vingmutter	eyrnaró
912*	vippetopnøgle	vippebryter	vippomkopplare, vippa	sveif
913*	wirelås	wirelås, ståltauklemme	wirelås	vírlás
914	vogn med bremse	vogn med låsbare hjul	bromsvagn	vagn með bremsu
915	volumenkontrol	volumkontroll	volymkontroll	styrkstillir
916	vælger	velger	väljare	valhnappur
917	værktøj	verktøy	verktyg	verkfæri
918	værtsteater	vertsteater	värdteater	gestgjafaleikhús
919	væv	stoff	väv	vefur
920	øge	øke	öka	auka
921*	øje	øye	ögla	lykkja
922*	øjebolt	øyebolt	schackel	baula
923	økonomichef	økonomisjef	ekonomichef	fjármálastjóri
924*	øsken	øyeskrue	ögla, skruvögla	hanki, skrúfulykkja

Suomeksi	Deutsch	English	Français
907* tuulikone	Windmaschine	wind machine	appareil à faire le vent
908* ikkuna	Fenster	window	fenêtre
909* ikkunankehys	Fensterflügel	window sash	châssis mobile
910* ikkunanpuitteet	Fensterrahmen	window frame	châssis dormant
911* siipimutteri	Flügelmutter	wing nut	écrou à oreilles
912* (vaihto-) kytkin	Hebelschalter	switch	commutateur électrique
913* vaijerilukko	Drahtschloss	cable clamp, cable lock	serre-câble
914 lukittava vaunu	Bremswagen	truck with brake	chariot à frein
915 äänen voimakkuuden tarkkailu	Volumenkontrolle	volume control	contrôle du volume
916 valintakytkin	Schalter	selector, switch	sélecteur
917 työkalu	Werkzeug	tools	instruments, outils
918 isäntäteatteri	Gastgebertheater	host theatre	théâtre d'accueil
919 kangas	Malleinwand	material, canvas	toile à décor
920 lisätä	vergrössern, erhöhen	increase	augmenter
921* silmukkaruuvi	Nietöse	ring plate	anneau
922* šakkeli	Schäkel	U-bolt	manille
923 talousjohtaja	Verwaltungsdirektor	economic manager, financial manager	directeur administratif
924* silmukka, ruuvipultti	Schraubtöse	screw-eye	piton rond fermé

691	9:2	717	7:2	750	1		3:3	839	9:2	866	3:7	904	4:4
692	3:1	719	6:2		3:2		3:5	846	7:2	868	4:5	907	5:2
	3:6	720	8:2	758	3:6	791	3:6	848	5:1	873	6:1	908	6:3
693	9:2	721	8:2	767	2	792	10:2	850	2	876	2	909	6:3
695	1	722	7:2		4:1	796	6:2		3:4	877	3:3	910	6:3
	9:3	723	7:2	769	7:2	800	2	852	3:6		3:7	911	8:2
696	3:1	726	3:6	771	10:1		3:4	856	3:7	878	1	912	4:5
	3:6	730	4:5	774	4:5	807	1	857	3:7		3:7	913	8:2
708	10:2	739	10:1	776	8:2	813	7:2	858	3:7	880	1	921	8:2
709	1	746	5:1	777	10:1	817	3:6	859	4:2		3:7	922	8:2
710	4:5	747	1	778	4:5	818	3:1	861	4:1	881	1	924	8:2
711	4:5		2	779	8:2	821	8:2		5:1		3:7		
712	6:1	748	2	780	8:2	825	3:7	862	10:2	882	8:1		
713	8:2	749	1	782	4:5	826	3:7	864	5:2	891	1		
714	6:2		2	787	3:1	836	6:3	865	10:1	892	1		

1

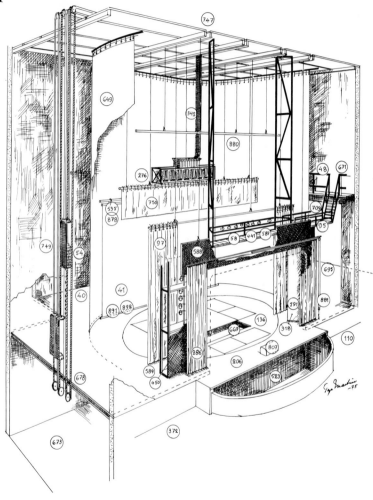

2

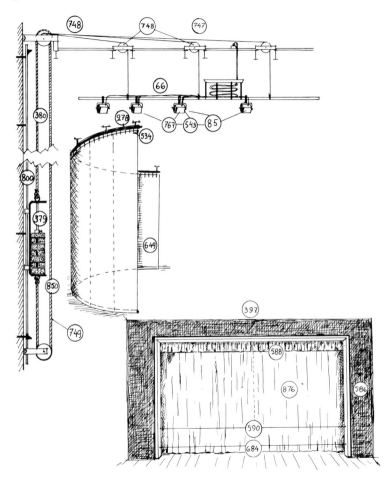

3:1

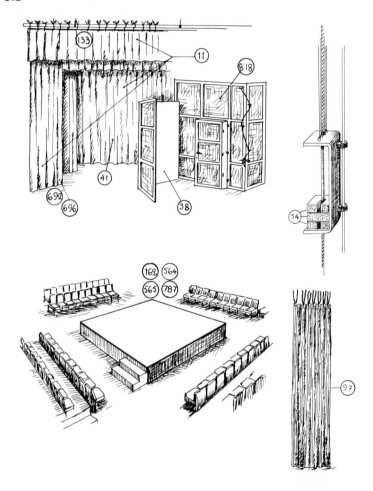

3:2

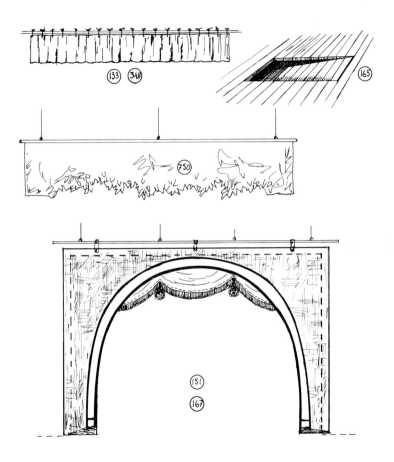

107

3:3

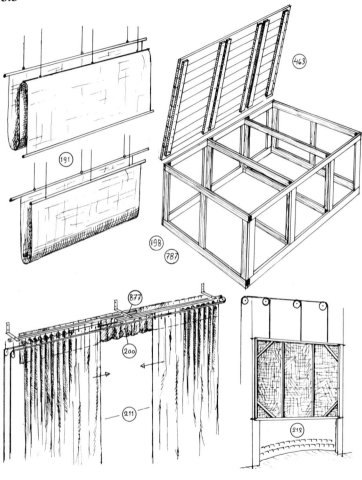

191

463

198
787

877

200

211

212

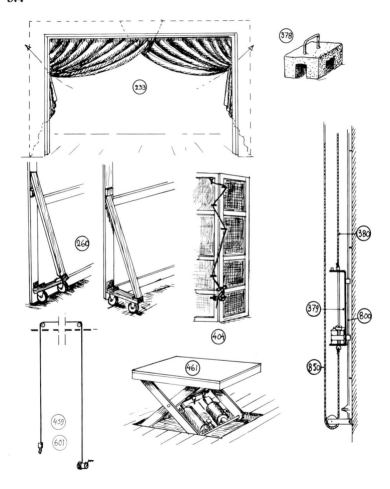

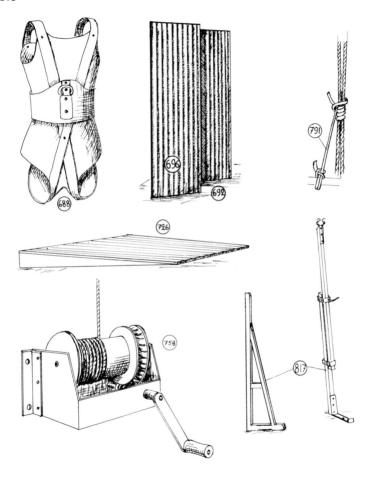

3:7

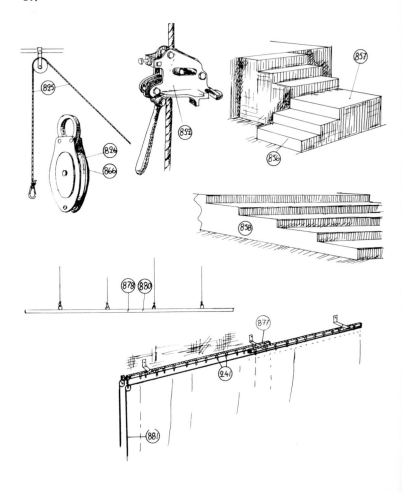

112

4:1

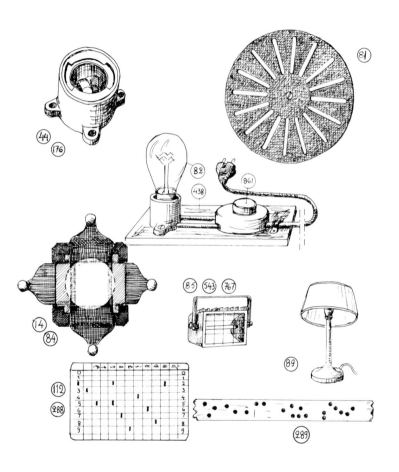

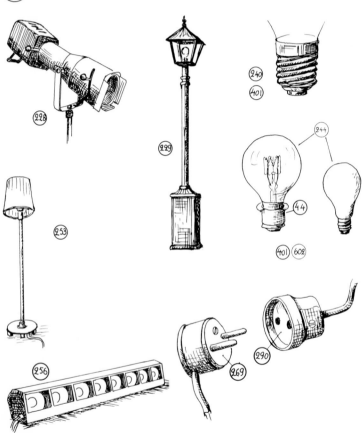

4:3

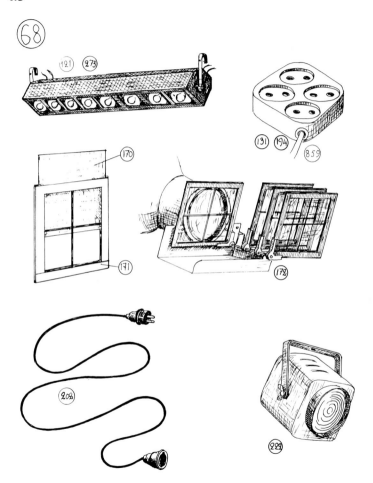

68

121 273

131 194 859

170

171 172

202

222

115

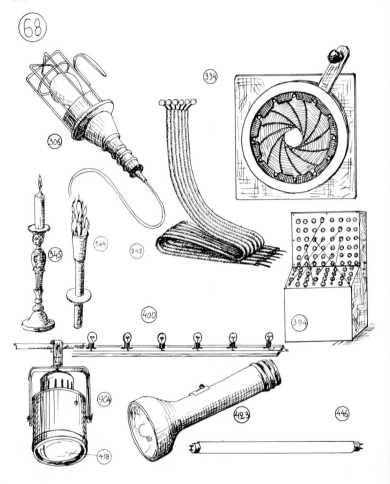

68

306

334

345

164

342

400

394

904

418

123

446

116

4:5

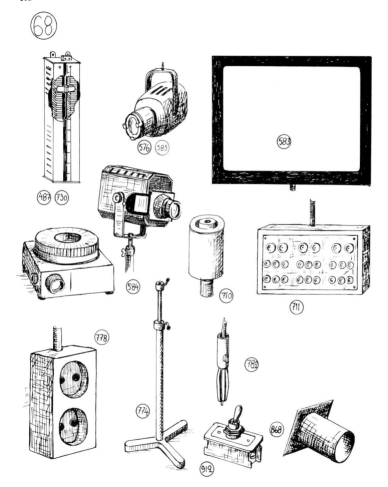

487 730 · 576 585 · 583 · 584 · 710 · 711 · 778 · 774 · 782 · 868 · 912

117

5:1

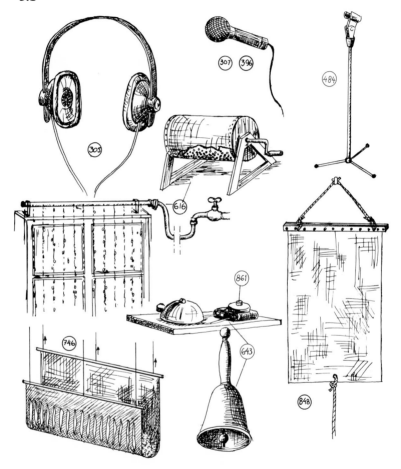

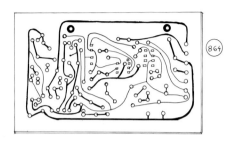

864

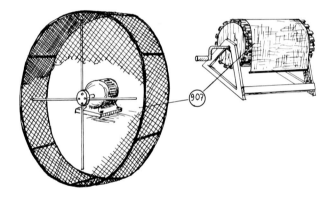

907

6:1

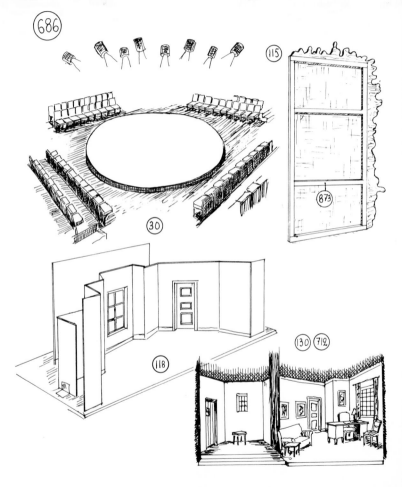

686

115

30

873

118

130 712

120

6:3

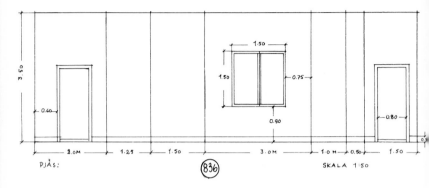

PJÅS: (836)   SKALA 1:50

909   908   910

122

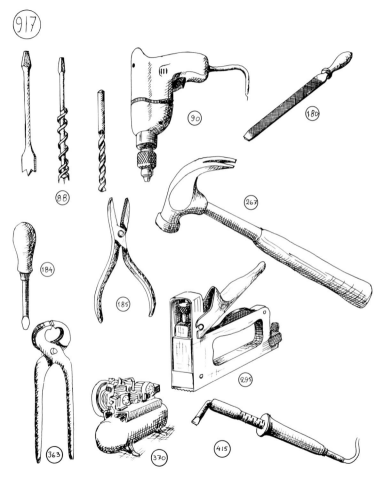

917

88

90

180

184

185

267

363

370

415

295

123

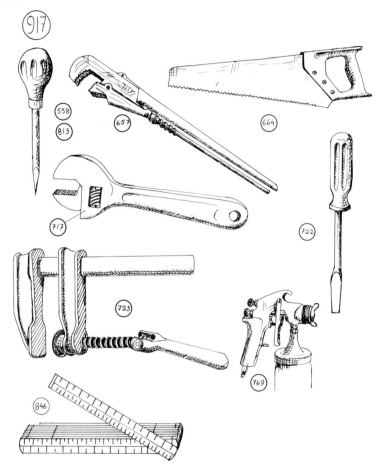

917

558

813

657

664

717

722

723

769

846

124

8:1

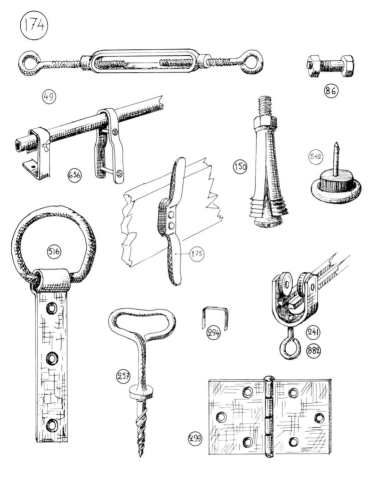

174

49

86

656

150

242

516

175

294

241

882

257

299

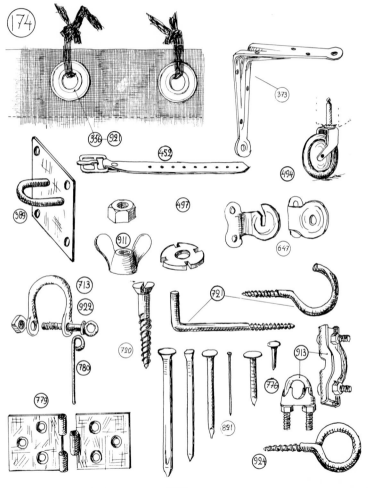

126

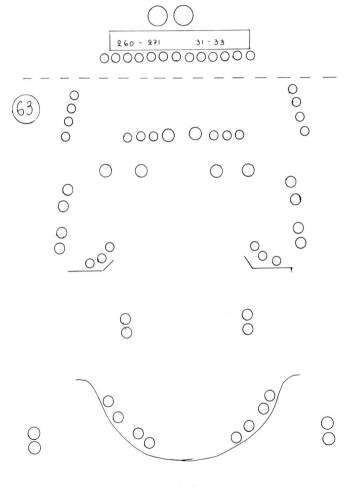

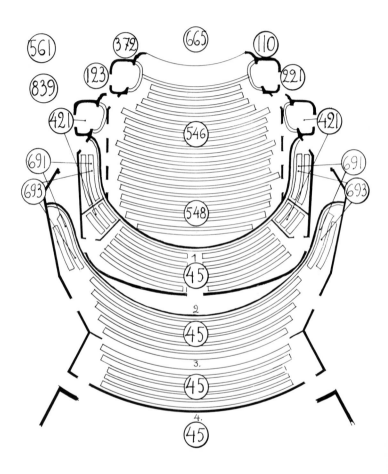

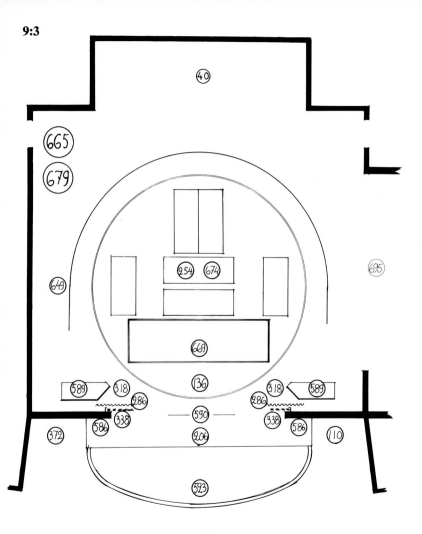

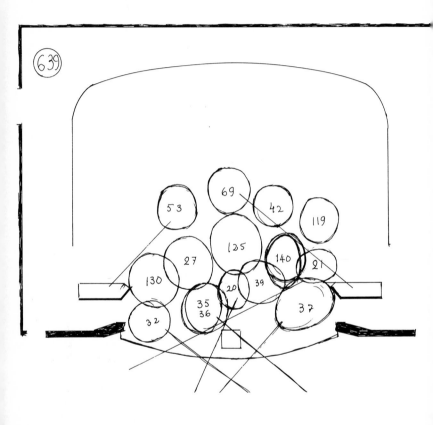

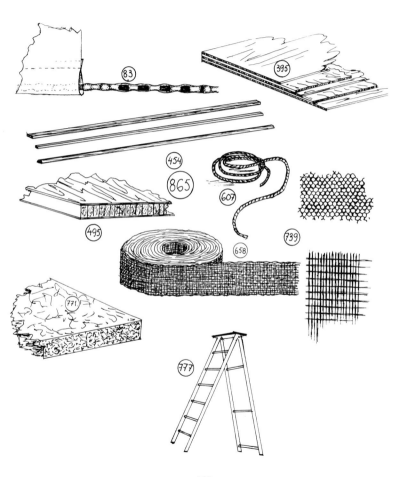

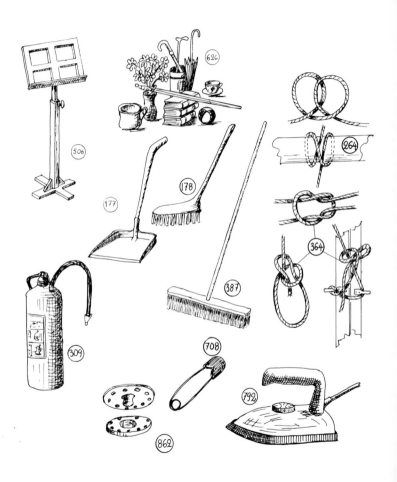

Norsk

135

136

139

vippebryter 912*
vogn med låsbare
  hjul 914
vogn med oppfell-
  bare hjul 260*

volumkontroll 915
vri (ned, opp) 99

W
wirelås 913*

Ø
øke 920
økonomisjef 923
øye 921*
øyebolt 922*
øyeskrue 924*

Svenska

144

150

Islenzka

153

157

Suomeksi

Deutsch

English

187

188

Français